Boa
Nova

FRANCISCO CÂNDIDO XAVIER

Boa Nova

Pelo Espírito
Humberto de Campos

Copyright © 1941 *by*
FEDERAÇÃO ESPÍRITA BRASILEIRA – FEB

37ª edição – 23ª impressão – 7 mil exemplares – 9/2025

ISBN 978-85-7328-795-0

Todos os direitos reservados. Nenhuma parte desta publicação pode ser reproduzida, armazenada ou transmitida, total ou parcialmente, por quaisquer métodos ou processos, sem autorização do detentor do *copyright*.

FEDERAÇÃO ESPÍRITA BRASILEIRA – FEB
SGAN 603 – Conjunto F – Avenida L2 Norte
70830-106 – Brasília (DF) – Brasil
www.febeditora.com.br
editorial@febnet.org.br
+55 61 2101 6161

Pedidos de livros à FEB
Comercial
Tel.: (61) 2101 6161 – comercial@febnet.org.br

O selo da capa é referente à premiação *Illumination Book Awards* de 2025, realizada pelo Jenkins Group desde 1988.
A tradução em inglês deste título — *Good News* — ganhou medalha de prata na categoria *Espiritualidade*.
O julgamento foi baseado em conteúdo, design e qualidade de produção, com ênfase na inovação e formas criativas de expressar uma visão de mundo cristã.

Adquirindo esta obra, você está colaborando com as ações de assistência e promoção social da FEB e com o Movimento Espírita na divulgação do Evangelho de Jesus à luz do Espiritismo.

Dados Internacionais de Catalogação na Publicação (CIP)
(Federação Espírita Brasileira – Biblioteca de Obras Raras)

C198b   Campos, Humberto de (Espírito)

         Boa-Nova / pelo Espírito Humberto de Campos; [psicografado por] Francisco Cândido Xavier. – 37. ed. – 23. imp. – Brasília: FEB, 2025.

         224 p.; 21 cm – (Coleção Humberto de Campos / Irmão X)

         Inclui índice geral

         ISBN 978-85-7328-795-0

         1. Bíblia e Espiritismo. 2. Espiritismo. 3. Obras psicografadas. I. Xavier, Francisco Cândido, 1910–2002. II. Federação Espírita Brasileira. III. Título. IV. Coleção.

                                                   CDD 133.93
                                                   CDU 133.7
                                                   CDE 20.02.00

Sumário

Na escola do Evangelho..................7
1 Boa-Nova..................11
2 Jesus e o precursor..................17
3 Primeiras pregações..................23
4 A família Zebedeu..................29
5 Os discípulos..................35
6 Fidelidade a Deus..................41
7 A luta contra o mal..................47
8 Bom ânimo..................53
9 Velhos e moços..................59
10 O perdão..................65
11 O Sermão do Monte..................71
12 Amor e renúncia..................77
13 Pecado e punição..................83
14 A lição a Nicodemos..................89
15 Joana de Cusa..................95

16	O testemunho de Tomé	101
17	Jesus na Samaria	109
18	A oração dominical	115
19	Comunhão com Deus	121
20	Maria de Magdala	127
21	A lição da vigilância	137
22	A mulher e a ressurreição	143
23	O servo bom	149
24	A ilusão do discípulo	155
25	A última ceia	161
26	A negação de Pedro	167
27	A oração do Horto	173
28	O bom ladrão	179
29	Os quinhentos da Galileia	185
30	Maria	191
Índice geral		203

Na escola do Evangelho

Oferecendo este esforço modesto ao leitor amigo, julgo prudente endereçar-lhe uma explicação quanto à gênese destas páginas. Dentro delas, sou o primeiro a reconhecer que os meus temas não são os mesmos. Os que se preocupam com a expressão fenomênica da forma não encontrarão, talvez, o mesmo estilo. Em período algum, faço referências de sabor mitológico. E naqueles velhos amigos que, como eu próprio aí no mundo, não conseguem atinar com as realidades da sobrevivência, surpreendo, por antecipação, as considerações mais estranhas. Alguns perguntarão, com certeza, se fui promovido a ministro evangélico.

Semelhante admiração pode ser natural, mas não será muito justa. O gosto literário sempre refletiu as condições da vida do Espírito. Não precisamos muitos exemplos para justificar o asserto. Minha própria atividade literária, na Terra, divide-se em duas fases essencialmente distintas. As páginas do *Conselheiro XX* são muito diversas das em que vazei as emoções novas que a dor, como lâmpada maravilhosa, me fazia descobrir, no país da minha alma.

Meu problema atual não é o de escrever para agradar, mas o de escrever com proveito.

Sei quão singelo é o esforço presente; entretanto, desejo que ele reflita o meu testemunho de admiração por todos os que trabalham pelo Evangelho no Brasil.

Nas esferas mais próximas da Terra, os nossos labores por afeiçoar sentimentos, a exemplo do Cristo, são também minuciosos e intensos. Escolas numerosas se multiplicam, para os Espíritos desencarnados. E eu, que sou agora um discípulo humilde desses educandários de Jesus, reconheci que os planos espirituais têm também o seu folclore. Os feitos heroicos e abençoados, muitas vezes anônimos no mundo, praticados por seres desconhecidos, encerram aqui profundas lições, em que encontramos forças novas. Todas as expressões evangélicas têm, entre nós, a sua história viva. Nenhuma delas é símbolo superficial. Inumeráveis observações sobre o Mestre e seus continuadores palpitam nos corações estudiosos e sinceros.

Dos milhares de episódios desse folclore do Céu, consegui reunir trinta e trazer ao conhecimento do amigo generoso que me concede a sua atenção. Concordo em que é pouco; mas isso deve valer como tentativa útil, pois estou certo de que não me faltou o auxílio indispensável.

Hoje, não mais cogito de crer, porque sei. E aquele Mestre de Nazaré polariza igualmente as minhas esperanças. Lembro-me de que, um dia, palestrando com alguns amigos protestantes, notei que classificavam a Jesus como "rocha dos séculos". Sorri e passei, como os pretensos espíritos fortes de nossa época, aí no mundo. Hoje, porém, já não posso sorrir, nem passar. Sinto a "rocha" milenária, luminosa e sublime, que nos sustenta o coração atolado no pântano de misérias seculares. E aqui estou para lhe prestar o meu preito de reconhecimento com estas páginas simples, cooperando com os que trabalham devotadamente na sua causa divina, de luz e redenção.

Jesus vê que no vaso imundo de meu Espírito penetrou uma gota de seu amor desvelado e compassivo. O homem perverso, que chegava da Terra, encontrou o raio de luz destinado à purificação de seu santuário. Ele ampara os meus pensamentos com a sua bondade sem limites. A ganga terrena ainda abafa, em meu coração, o ouro que me deu da sua misericórdia; mas, como Bartolomeu, já possuo o bom ânimo para enfrentar os inimigos de minha paz, que se abrigam em mim mesmo. Tenho a alegria do Evangelho, porque reconheço que o seu amor não me desampara. Confiado nessa proteção amiga e generosa, meu Espírito trabalha e descansa.

Agora, para consolidar a estranheza dos que me leem, com o sabor de crítica, tão ao gosto do nosso tempo, justificando a substância real das narrativas deste livro, citarei o Apóstolo Marcos, quando diz (4:34): "E sem parábola nunca lhes falava; porém, tudo declarava em particular aos seus discípulos"; e o Apóstolo João, quando afirma (21:25): "Há, porém, ainda muitas outras coisas que Jesus fez e que, se cada uma *de per si* fosse escrita, cuido que nem ainda o mundo todo poderia conter os livros que se escrevessem".

E é só. Como se vê, não faço referências aos clássicos da literatura antiga ou contemporânea. Cito Marcos e João. É que existem Espíritos esclarecidos e Espíritos evangelizados, e eu, agora, peço a Deus que abençoe a minha esperança de pertencer ao número destes últimos.

HUMBERTO DE CAMPOS[1]
Pedro Leopoldo (MG), 9 de novembro de 1940.

---

[1] N.E.: Espírito.

~ 1 ~
Boa-Nova[2]

Os historiadores do Império Romano sempre observaram com espanto os profundos contrastes da gloriosa época de Augusto. Caio Júlio César Otávio[3] chegara ao poder, não obstante o lustre de sua notável ascendência, por uma série de acontecimentos felizes. As mentalidades mais altas da antiga República não acreditavam no seu triunfo. Aliando-se contra a usurpação de Antônio, com os próprios conjurados que haviam praticado o assassínio de seu pai adotivo, suas pretensões foram sempre

---

[2] N.E.: Embora o Vocabulário Ortográfico da Língua Portuguesa e os dicionários prescrevam o uso de hífen para a palavra composta "Boa-Nova", o Conselho Editorial da FEB optou — em virtude de preservação do título original, tradicionalmente adotado, e de critério estético — por usar o termo sem hífen sempre que figurar como título situado na capa, na folha de rosto, no cabeçalho ou no rodapé das páginas; no corpo do texto da obra, o vocábulo segue a regra ortográfica, mantendo-se hifenizado.

[3] N.E.: Caius Julius Caesar Octavianus Augustus, imperador romano, chamado primeiramente Otávio, depois Otaviano, herdeiro de Júlio César. (Roma, 63 a.C.—Nola, 14 d.C.).

contrariadas por sombrias perspectivas. Entretanto, suas primeiras vitórias começaram com a instituição do triunvirato[4] e, em seguida, os desastres de Antônio, no Oriente, lhe abriram inesperados caminhos.

Como se o mundo pressentisse uma abençoada renovação de valores no tempo, em breve todas as legiões se entregavam, sem resistência, ao filho do soberano assassinado.

Uma nova era principiara com aquele jovem enérgico e magnânimo. O grande império do mundo, como que influenciado por um conjunto de forças estranhas, descansava numa onda de harmonia e de júbilo, depois de guerras seculares e tenebrosas.

Por toda parte levantavam-se templos e monumentos preciosos. O hino de uma paz duradoura começava em Roma para terminar na mais remota de suas províncias, acompanhado de amplas manifestações de alegria por parte da plebe anônima e sofredora.

A cidade dos césares se povoava de artistas, de espíritos nobres e realizadores. Em todos os recantos, permanecia a sagrada emoção de segurança, enquanto o organismo das leis se renovava, distribuindo os bens da educação e da justiça.

No entanto, o inesquecível imperador era franzino e doente. Os cronistas da época referem-se, por mais de uma vez, às manchas que lhe cobriam a epiderme, transformando-se, de vez em quando, em dartros[5] dolorosos. Otávio nunca foi senhor de uma saúde completa. Suas pernas viviam sempre enroladas em faixas e sua caixa torácica convenientemente resguardada contra os golpes de ar que lhe motivavam incessantes resfriados. Com frequência, queixava-se de enxaquecas, que se faziam seguir de singulares abatimentos.

---

[4] N.E.: Governo formado por três homens.
[5] N.E.: Nome genérico de diferentes afecções de pele causada por diversas doenças (acne, eczema, urticária, impetigem etc.).

Não somente nesse particular padecia o imperador das extremas vicissitudes da vida humana. Ele, que era o regenerador dos costumes, o restaurador das tradições mais puras da família, o maior reorganizador do Império, foi obrigado a humilhar os seus mais fundos e delicados sentimentos de pai e de soberano, lavrando um decreto de banimento de sua única filha, exilando-a na ilha de Pandatária, por efeito da sua vida de condenáveis escândalos na Corte, sendo compelido, mais tarde, a tomar as mesmas providências em relação à sua neta. Notou que a companheira amada de seus dias se envolvia, na intimidade doméstica, em contínuas questões de envenenamento dos seus descendentes mais diretos, experimentando ele, assim, na família, a mais angustiosa ansiedade do coração.

Apesar de tudo, seu nome foi dado ao século ilustre que o vira nascer.[6] Seus numerosos anos de governo se assinalaram por inolvidáveis iniciativas. A alma coletiva do Império nunca sentira tamanha impressão de estabilidade e de alegria. A paisagem gloriosa de Roma jamais reunira tão grande número de inteligências. É nessa época que surgem Virgílio, Horácio, Ovídio, Salústio, Tito Lívio e Mecenas, como favoritos dos deuses.

Em todos os lugares lavravam-se mármores soberbos, esplendiam jardins suntuosos, erigiam-se palácios e santuários, protegia-se a inteligência, criavam-se leis de harmonia e de justiça, num oceano de paz inigualável. Os carros de triunfo esqueciam, por algum tempo, as palmas de sangue e o sorriso da deusa Vitória não mais se abria para os movimentos de destruição e morticínio.

O próprio imperador, muitas vezes, em presidindo às grandes festas populares, com o coração tomado de angústia pelos dissabores de sua vida íntima, se surpreendeu, testemunhando o

---

[6] N.E.: O reinado de Augusto marca uma das épocas mais brilhantes da história romana, época de valorização das Letras e das Artes (Século de Augusto).

júbilo e a tranquilidade geral do seu povo e, sem que conseguisse explicar o mistério daquela onda interminável de harmonia, chorando de comoção, quando, do alto de sua tribuna dourada, escutava a famosa composição de Horácio, em que se destacavam estes versos de imorredoura beleza:

Ó Sol fecundo,
Que com teu carro brilhante
Abres e fechas o dia!...
Que surges sempre novo e sempre igual!
Que nunca possas ver
Algo maior do que Roma.

É que os historiadores ainda não perceberam, na chamada época de Augusto, o século do Evangelho ou da Boa-Nova. Esqueceram-se de que o nobre Otávio era também homem e não conseguiram saber que, no seu reinado, a esfera do Cristo se aproximava da Terra, numa vibração profunda de amor e de beleza. Acercavam-se de Roma e do mundo não mais espíritos belicosos, como Alexandre ou Aníbal, porém, outros que se vestiriam dos andrajos dos pescadores, para servirem de base indestrutível aos eternos ensinos do Cordeiro. Imergiam nos fluidos do planeta os que prepariam a vinda do Senhor e os que se transformariam em seguidores humildes e imortais dos seus passos divinos.

É por essa razão que o ascendente místico da era de Augusto se traduzia na paz e no júbilo do povo que, instintivamente, se sentia no limiar de uma transformação celestial.

Ia chegar à Terra o sublime emissário. Sua lição de verdade e de luz ia espalhar-se pelo mundo inteiro, como chuva de bênçãos magníficas e confortadoras. A Humanidade vivia, então, o século da Boa-Nova. Era a "festa do noivado" a que Jesus se referiu no seu ensinamento imorredouro.

Depois dessa festa dos corações, qual roteiro indelével para a concórdia dos homens, ficaria o Evangelho como o livro mais vivaz e mais formoso do mundo, constituindo a mensagem permanente do Céu, entre as criaturas em trânsito pela Terra, o mapa das abençoadas altitudes espirituais, o guia do caminho, o manual do amor, da coragem e da perene alegria.

E, para que essas características se conservassem entre os homens, como expressão de sua sábia vontade, Jesus recomendou aos seus Apóstolos que iniciassem o seu glorioso testamento com os hinos e os perfumes da Natureza, sob a claridade maravilhosa de uma estrela a guiar reis e pastores à manjedoura rústica, onde se entoavam as primeiras notas de seu cântico de amor, e o terminassem com a luminosa visão da Humanidade futura, na posse das bênçãos de redenção. É por esse motivo que o Evangelho de Jesus, sendo livro do amor e da alegria, começa com a descrição da gloriosa noite de Natal e termina com a profunda visão da Jerusalém libertada, entrevista por João, nas suas divinas profecias do Apocalipse.

~ 2 ~
Jesus e o precursor

Após a famosa apresentação de Jesus aos doutores do Templo de Jerusalém, Maria recebeu a visita de Isabel e de seu filho, em sua casinha pobre de Nazaré.

Depois das saudações habituais, do desdobramento dos assuntos familiares, as duas primas entraram a falar de ambas as crianças, cujo nascimento fora antecedido por acontecimentos singulares e cercado de estranhas circunstâncias. Enquanto o patriarca José atendia às últimas necessidades diárias de sua oficina humilde, entretinham-se as duas em curiosa palestra, trocando carinhosamente as mais ternas confidências maternais.

— O que me espanta — dizia Isabel com caricioso sorriso — é o temperamento de João, dado às mais fundas meditações, apesar da sua pouca idade. Não raro, procuro-o inutilmente em casa, para encontrá-lo, quase sempre, entre as figueiras bravas, ou caminhando ao longo das estradas adustas,[7] como se a pequena fronte estivesse dominada por graves pensamentos.

---
[7] N.E.: Ardente.

— Essas crianças, a meu ver — respondeu-lhe Maria, intensificando o brilho suave de seus olhos —, trazem para a Humanidade a Luz Divina de um caminho novo. Meu filho também é assim, envolvendo-me o coração numa atmosfera de incessantes cuidados. Por vezes, vou encontrá-lo a sós, junto das águas, e de outras, em conversação profunda com os viajantes que demandam a Samaria ou as aldeias mais distantes, nas adjacências do lago. Quase sempre, surpreendo-lhe a palavra caridosa que dirige às lavadeiras, aos transeuntes, aos mendigos sofredores... Fala de sua comunhão com Deus com uma eloquência que nunca encontrei nas observações dos nossos doutores e, constantemente, ando a cismar, em relação ao seu destino.

— Apesar de todos os valores da crença — murmurou Isabel, convicta —, nós, as mães, temos sempre o espírito abalado por injustificáveis receios.

Como se se deixasse empolgar por amorosos temores, Maria continuou:

— Ainda há alguns dias, estivemos em Jerusalém, nas comemorações costumeiras, e a facilidade de argumentação com que Jesus elucidava os problemas que lhe eram apresentados pelos orientadores do templo nos deixou a todos receosos e perplexos. Sua ciência não pode ser deste mundo: vem de Deus, que certamente se manifesta por seus lábios amigos da pureza. Notando-lhe as respostas, Eleazar chamou a José, em particular, e o advertiu de que o menino parece haver nascido para a perdição de muitos poderosos em Israel.

Com a prima a lhe escutar atentamente a palavra, Maria prosseguiu, de olhos úmidos, após ligeira pausa:

— Ciente desse aviso, procurei Eleazar, a fim de interceder por Jesus, junto de suas valiosas relações com as autoridades do templo. Pensei na sua infância desprotegida e receio pelo seu futuro. Eleazar prometeu interessar-se pela sua sorte; todavia, de regresso a Nazaré, experimentei singular multiplicação dos meus temores. Conversei com José, mais detidamente, acerca do pequeno, preocupada com o seu preparo conveniente para a vida!... Entretanto, no dia que se seguiu às nossas íntimas confabulações, Jesus se aproximou de mim, pela manhã, e me interpelou: "Mãe, que queres tu de mim? Acaso não tenho testemunhado a minha comunhão com o Pai que está no Céu?!" Altamente surpreendida com a sua pergunta, respondi-lhe, hesitante: " Tenho cuidado por ti, meu filho! Reconheço que necessitas de um preparo melhor para a vida...". Mas, como se estivesse em pleno conhecimento do que se passava em meu íntimo, ponderou ele: "Mãe, toda preparação útil e generosa no mundo é preciosa; entretanto, eu já estou com Deus. Meu Pai, porém, deseja de nós toda a exemplificação que seja boa, e eu escolherei, desse modo, a escola melhor". No mesmo dia, embora soubesse das belas promessas que os doutores do templo fizeram na sua presença a seu respeito, Jesus aproximou-se de José e lhe pediu, com humildade, o admitisse em seus trabalhos. Desde então, como se nos quisesse ensinar que a melhor escola para Deus é a do lar e a do esforço próprio — concluiu a palavra materna com singeleza —, ele aperfeiçoa as madeiras da oficina, empunha o martelo e a enxó,[8] enchendo a casa de ânimo, com a sua doce alegria!

Isabel lhe escutava atenta a narrativa, e, depois de outras pequenas considerações materiais, ambas observaram que as primeiras sombras da noite desciam na paisagem, acinzentando o céu sem nuvens.

A carpintaria já estava fechada e José buscava a serenidade do interior doméstico para o repouso.

As duas mães se entreolharam, inquietas, e perguntavam a si próprias aonde teriam ido as duas crianças.

---

[8] N.E.: Instrumento de cabo curto e chapa de aço cortante, que serve para desbastar peças de madeira.

Nazaré, com a sua paisagem, das mais belas de toda a Galileia, é talvez o mais formoso recanto da Palestina. Suas ruas humildes e pedregosas, suas casas pequeninas, suas lojas singulares se agrupam numa ampla concavidade em cima das montanhas, ao norte do Esdrelon. Seus horizontes são estreitos e sem interesse; contudo, os que subam um pouco além, até onde se localizam as casinholas mais elevadas, encontrarão para o olhar assombrado as mais formosas perspectivas. O céu parece alongar-se, cobrindo o conjunto maravilhoso, numa dilatação infinita.

Maria e Isabel avistaram seus filhos, lado a lado, sobre uma eminência banhada pelos derradeiros raios vespertinos. De longe, afigurou-se-lhes que os cabelos de Jesus esvoaçavam ao sopro caricioso das brisas do alto. Seu pequeno indicador mostrava a João as paisagens que se multiplicavam a distância, como um grande general que desse a conhecer as minudências dos seus planos a um soldado de confiança. Ante seus olhos surgiam as montanhas de Samaria, o cume de Magedo, as eminências de Gelboé, a figura esbelta do Tabor, na qual mais tarde, ficaria inesquecível o instante da Transfiguração, o vale do rio sagrado do Cristianismo, os cumes de Safed, o golfo de Khalfa, o elevado cenário do Pereu, num soberbo conjunto de montes e vales, ao lado das águas cristalinas.

Quem poderia saber qual a conversação solitária que se travara entre ambos? Distanciados no tempo, devemos presumir que fosse, na Terra, a primeira combinação entre o amor e a verdade, para a conquista do mundo. Sabemos, porém, que, na manhã imediata, em partindo o precursor na carinhosa companhia de sua mãe, perguntou Isabel a Jesus, com gracioso interesse: "Não queres vir conosco?" — ao que o pequeno carpinteiro de Nazaré respondeu, proficamente, com inflexão de profunda bondade: "João partirá primeiro".

Transcorridos alguns anos, vamos encontrar o Batista[9] na sua gloriosa tarefa de preparação do caminho à Verdade, precedendo o trabalho divino do amor, que o mundo conheceria em Jesus Cristo.

João, de fato, partiu primeiro, a fim de executar as operações iniciais para grandiosa conquista. Vestido de peles e alimentando-se de mel selvagem, esclarecendo com energia e deixando-se degolar em testemunho à Verdade, ele precedeu a lição da misericórdia e da bondade. O Mestre dos mestres quis colocar a figura franca e áspera do seu profeta no limiar de seus gloriosos ensinos e, por isso, encontramos em João Batista um dos mais belos de todos os símbolos imortais do Cristianismo. Salomé representa a futilidade do mundo, Herodes[10] e sua mulher, o convencionalismo político e o interesse particular. João era a verdade, e a verdade, na sua tarefa de aperfeiçoamento, dilacera e magoa, deixando-se levar aos sacrifícios extremos.

Como a dor que precede as poderosas manifestações da luz no íntimo dos corações, ela recebe o bloco de mármore bruto e lhe trabalha as asperezas para que a obra do amor surja, em sua pureza divina. João Batista foi a voz clamante do deserto. Operário da primeira hora, é ele o símbolo rude da verdade que arranca as mais fortes raízes do mundo, para que o Reino de Deus prevaleça nos corações . Exprimindo a austera disciplina que antecede a espontaneidade do amor,

---

[9] N.E.: Nome dado a João, o precursor da Boa-Nova do Cristo, filho de Zacarias e Isabel. (Palestina, 28 ou 29 d.C.) E foi quem batizou Jesus Cristo e o designou como Messias (Ver *Mateus*, 17:11 a 13; *Marcos, 9:13*; *Lucas,* 9:7 a 9).

[10] N.E.: Herodes Ântipas (20 a.C.—39 d.C.). Julgou Jesus Cristo e mandou matar João Batista. Nomeado tetrarca da Galileia e muito prestigiado pelo imperador Tibério, construiu a capital de sua tetrarquia às margens do lago de Genesaré e chamou-a de Tiberíades, em homenagem ao seu protetor.

a luta para que se desfaçam as sombras do caminho, João é o primeiro sinal do cristão ativo, em guerra com as próprias imperfeições do seu mundo interior, a fim de estabelecer em si mesmo o santuário de sua realização com o Cristo. Foi por essa razão que dele disse Jesus: "Dos nascidos de mulher, João Batista é o maior de todos".

~ 3 ~
Primeiras pregações

Nos primeiros dias do ano 30, antes de suas gloriosas manifestações, avistou-se Jesus com o Batista, no deserto triste da Judeia, não muito longe das areias ardentes da Arábia. Ambos estiveram juntos, por alguns dias, em plena Natureza, no campo ríspido do jejum e da penitência do grande precursor, até que o Mestre Divino, despedindo-se do companheiro, demandou o oásis de Jericó, uma bênção de verdura e água, entre as inclemências da estrada agreste. De Jericó dirigiu-se então a Jerusalém, onde repousou, ao cair da noite.

Sentado como um peregrino, nas adjacências do templo, Jesus foi notado por um grupo de sacerdotes e pensadores ociosos, que se sentiram atraídos pelos seus traços de formosa originalidade e pelo seu olhar lúcido e profundo. Alguns deles se afastaram, sem maior interesse, mas Haná, que seria, mais tarde, o juiz inclemente de sua causa, aproximou-se do desconhecido e dirigiu-se-lhe com orgulho:

— Galileu, que fazes na cidade?

— Passo por Jerusalém, buscando a fundação do Reino de Deus! — exclamou o Cristo, com modesta nobreza.
— Reino de Deus? — tornou o sacerdote com acentuada ironia. — E que pensas tu venha a ser isso?
— Esse reino é a obra divina no coração dos homens! — esclareceu Jesus, com grande serenidade.
— Obra divina em tuas mãos? — revidou Haná, com uma gargalhada de desprezo.

E, continuando as suas observações irônicas, perguntou:
— Com que contas para levar avante essa difícil empresa? Quais são os teus seguidores e companheiros?... Acaso terás conquistado o apoio de algum príncipe desconhecido e ilustre, para auxiliar-te na execução de teus planos?
— Meus companheiros hão de chegar de todos os lugares — respondeu o Mestre com humildade.
— Sim — observou Haná —, os ignorantes e os tolos estão em toda parte na Terra. Certamente que esse representará o material de tua edificação. Entretanto, propões-te realizar uma obra divina e já viste alguma estátua perfeita modelada em fragmentos de lama?
— Sacerdote — replicou-lhe Jesus, com energia serena —, nenhum mármore existe mais puro e mais formoso do que o do sentimento, e nenhum cinzel é superior ao da boa vontade sincera.

Impressionado com a resposta firme e inteligente, o famoso juiz ainda interrogou:
— Conheces Roma ou Atenas?
— Conheço o Amor e a Verdade — disse Jesus convictamente.
— Tens ciência dos códigos da Corte Provincial e das leis do Templo? — inquiriu Haná, inquieto.
— Sei qual é a vontade de meu Pai que está nos céus — respondeu o Mestre, brandamente.

O sacerdote o contemplou irritado e, dirigindo-lhe um sorriso de profundo desprezo, demandou a Torre Antônia, em atitude de orgulhosa superioridade.

No dia seguinte, pela manhã, o mesmo formoso peregrino foi ainda visto a contemplar as maravilhas do santuário, antes alguns minutos de internar-se pelas estradas banhadas de sol, a caminho de sua Galileia distante.

~

Daí a algum tempo, depois de haver passado por Nazaré, descansando igualmente em Caná, Jesus se encontrava nas circunvizinhanças da cidadezinha de Cafarnaum, como se procurasse, com viva atenção, algum amigo que estivesse à sua espera.

Em breves instantes, ganhou as margens do Tiberíades e se dirigiu, resolutamente, a um grupo alegre de pescadores, como se, de antemão, os conhecesse a todos.

A manhã era bela, no seu manto diáfano de radiosas neblinas. As águas transparentes vinham beijar os eloendros[11] da praia, como se brincassem ao sopro das virações perfumadas da Natureza. Os pescadores entoavam uma cantiga rude e, dispondo inteligentemente as barcaças móveis, deitavam as redes, em meio a profunda alegria.

Jesus aproximou-se do grupo e, assim que dois deles desembarcaram em terra, falou-lhes com amizade:

— Simão e André, filhos de Jonas, venho da parte de Deus e vos convido a trabalhar pela instituição de seu reino na Terra!

André lembrava-se de já o ter visto, nas cercanias de Betsaida, e do que lhe haviam dito a seu respeito, enquanto Simão, embora agradavelmente surpreendido, o contemplava enleado.[12] No entanto, quase a um só tempo, dando expansão aos seus temperamentos acolhedores e sinceros, exclamaram respeitosamente:

— Sede bem-vindo!...

---

[11] N.E.: Espécie de planta (*Nerium oleander*) também conhecida como "espirradeira" ou "loendro".

[12] N.E.: Perplexo, atônito.

Jesus então lhes falou docemente do Evangelho, com o olhar incendido de júbilos divinos.

Estando muitos outros companheiros do lago a observar de longe os três, André, manifestando a sua tocante ingenuidade, exclamou comovido:

— Um rei? Mas em Cafarnaum existem tão poucas casas!...

Ao que Pedro obtemperou, como se a boa vontade devesse suprir todas as deficiências:

O lago é muito grande e há várias aldeias circundando estas águas. O reino poderá abrangê-las todas!

Isso dizendo, fixou em Jesus o olhar perquiridor, como se fora uma grande criança meiga e sincera, desejosa de demonstrar compreensão e bondade. O Senhor esboçou um sorriso sereno e, como se adiasse com prazer as suas explicações para mais tarde, inquiriu generosamente:

— Quereis ser meus discípulos?

André e Simão se interrogaram a si mesmos, permutando sentimentos de admiração embevecida. Refletia Pedro: que homem seria aquele? onde já lhe escutara o timbre carinhoso da voz íntima e familiar? Ambos os pescadores se esforçavam por dilatar o domínio de suas lembranças, de modo a encontrá-lo nas recordações mais queridas. Não sabiam, porém, como explicar aquela fonte de confiança e de amor que lhes brotava no âmago do espírito e, sem hesitarem, sem uma sombra de dúvida, responderam simultaneamente:

— Senhor, seguiremos os teus passos.

Jesus os abraçou com imensa ternura e, como os demais companheiros se mostrassem admirados e trocassem entre si ditérios ridicularizadores, o Mestre, acompanhado de ambos e de grande grupo de curiosos, se encaminhou para o centro de Cafarnaum, na qual se erguia a Intendência de Ântipas. Entrou calmamente na coletoria e, avistando um funcionário culto, conhecido publicano da cidade, perguntou-lhe:

— Que fazes tu, Levi?

O interpelado fixou-o com surpresa; mas, seduzido pelo suave magnetismo de seu olhar, respondeu sem demora:

— Recolho os impostos do povo, devidos a Herodes.

— Queres vir comigo para recolher os bens do Céu? — perguntou-lhe Jesus, com firmeza e doçura.

Levi, que seria mais tarde o Apóstolo Mateus, sem que pudesse definir as santas emoções que lhe dominaram a alma, atendeu, comovido:

— Senhor, estou pronto!...

— Então, vamos — disse Jesus, abraçando-o.

Em seguida, o numeroso grupo se dirigiu para a casa de Simão Pedro, que oferecera ao Messias acolhida sincera em sua residência humilde, onde o Cristo fez a primeira exposição de sua consoladora doutrina, esclarecendo que a adesão desejada era a do coração sincero e puro, para sempre, às claridades do seu reino. Iniciou-se naquele instante a eterna união dos inseparáveis companheiros.

~

Na tarde desse mesmo dia, o Mestre fez a primeira pregação da Boa-Nova na praça ampla, cercada de verdura e situada Naturalmente junto às águas.

No céu, vibravam harmonias vespertinas, como se a tarde possuísse também uma alma sensível. As árvores vizinhas acenavam os ramos verdes ao vento do crepúsculo, como mãos da Natureza que convidassem os homens à celebração daquele primeiro ágape.[13] As aves ariscas pousavam de leve nas alcaparreiras[14] mais próximas, como se também desejassem senti-lo, e na praia extensa se acotovelava a grande multidão de pescadores rústicos,

---

[13] N.E.: Refeição que os primeiros cristãos faziam em comum.
[14] N.E.: Arbusto espinhoso mediterrâneo, cujos botões florais são usados como condimento, em conserva (família das caparidáceas). O mesmo que alcaparra.

de mulheres aflitas por continuadas flagelações, de crianças sujas e abandonadas, misturados publicanos pecadores com homens analfabetos e simples, que haviam acorrido, ansiosos por ouvi-lo.

Jesus contemplou a multidão e enviou-lhe um sorriso de satisfação. Contrariamente às ironias de Haná, Ele aproveitaria o sentimento como mármore precioso e a boa vontade como cinzel divino. Os ignorantes do mundo, os fracos, os sofredores, os desalentados, os doentes e os pecadores seriam em suas mãos o material de base para a sua construção eterna e sublime. Converteria toda miséria e toda dor num cântico de alegria e, tomado pelas inspirações sagradas de Deus, começou a falar da maravilhosa beleza do seu reino. Magnetizado pelo seu amor, o povo o escutava num grande transporte de ventura. No céu havia uma vibração de claridade desconhecida.

Ao longe, no firmamento de Cafarnaum, o horizonte se tornara um deslumbramento de luz e, bem no alto, na cúpula dourada e silenciosa, as nuvens delicadas e alvas tomavam a forma suave das flores e dos arcanjos do Paraíso.

~ 4 ~
A família Zebedeu

Na manhã que se seguiu à primeira manifestação da sua palavra defronte do Tiberíades, o Mestre se aproximou de dois jovens que pescavam nas margens e os convocou para o seu apostolado.

— Filhos de Zebedeu — disse, bondoso —, desejais participar das alegrias da Boa-Nova?!

Tiago e João, que já conheciam as pregações do Batista e que o tinham ouvido na véspera, tomados de emoção se lançaram para ele, transbordantes de alegria:

— Mestre! Mestre! — exclamavam felizes.

Como se fossem irmãos bem-amados que se encontrassem depois de longa ausência, tocados pela força do amor que se irradiava do Cristo, fonte inspiradora das mais profundas dedicações, falaram largamente da ventura de sua união perene, no futuro, das esperanças com que deveriam avançar para o porvir, proclamando as belezas do esforço pelo Evangelho do reino. Os dois rapazes galileus eram de temperamento apaixonado. Profundamente generosos, tinham carinhosas e simples, ardentes e sinceras as almas. João tomou das mãos do Senhor e beijava-as afetuosamente, enquanto Jesus lhe acariciava os anéis macios dos cabelos. Tiago, como se quisesse hipotecar a sua solidariedade inteira, aproximou-se do Messias e lhe colocou a destra sobre os ombros, em amoroso transporte.

Os dois novos Apóstolos, entretanto, eram ainda muito jovens e, em regressando à casa com o espírito arrebatado por imensa alegria, relataram à sua mãe o que se passara.

Salomé, a esposa de Zebedeu, apesar de bondosa e sensível, recebeu a notícia com certo cuidado. Também ela ouvira o Profeta de Nazaré nas suas gloriosas afirmativas da véspera. Pôs-se então a ponderar consigo mesma: não estaria próximo aquele reino prometido por Jesus? Quem sabe se o filho de Maria não falava na cidade em nome de algum príncipe? Ah! o Cristo deveria ser o intérprete de algum desconhecido ilustre que recrutava adeptos entre os homens trabalhadores e mais fortes. A quem seriam confiados os postos mais altos, dentro da nova fundação? Seus filhos queridos bem os mereciam. Precisava agir, enquanto era tempo. O povo, de há muito, falava em revolução contra os romanos e os comentadores mais indiscretos anteviam a queda próxima dos Ântipas. O novo reinado estava próximo e, alucinada pelos sonhos maternais, Salomé procurou o Messias no círculo dos seus primeiros discípulos.

— Senhor — disse, atenciosa —, logo após a instituição do teu reino, eu desejaria que os meus filhos se sentassem um à tua direita e outro à tua esquerda, como as duas figuras mais nobres do teu trono.

Jesus sorriu e obtemperou com gesto bondoso:

— Antes de tudo, é preciso saber se eles quererão beber do meu cálice!...

A progenitora[15] dos dois jovens embaraçou-se. Além disso, o grupo que rodeava o Messias a observava com indiscrição

---

[15] N.E.: Aquela que dá ou deu origem a um outro indivíduo; a mãe, a genitora.

e manifesta curiosidade. Reconhecendo que o instante não lhe permitia mais amplas explicações, retirou-se apressada, colocando o seu velho esposo ao corrente dos fatos.

~

Ao entardecer, cessado o labor do dia, Zebedeu, acompanhado pelos dois filhos, procurou o Mestre em casa de Simão. Jesus lhes recebia a visita com extremo carinho, enquanto o velho galileu expunha as suas razões, humilde e respeitoso.

— Zebedeu — respondeu-lhe Jesus —, tu, que conheces a lei e lhe guardas os preceitos no coração, sabes de algum profeta de Deus que, no seu tempo, fosse amado pelos homens do mundo?

— Não, Senhor.

— Que fizeram de Moisés, de Jeremias, de Jonas? Todos os emissários da Verdade Divina foram maltratados e trucidados, ou banidos do berço em que nasceram. Na Terra, o preço do Amor e da Verdade tem sido o martírio e a morte.

O pai de Tiago e de João ouvia-o humilde e repetia:

— Sim, Senhor.

E Jesus, como se aproveitasse o momento para esclarecer todos os pontos em dúvida, continuou:

— O Reino de Deus tem de ser fundado no coração das criaturas; o trabalho árduo é o meu gozo; o sofrimento, o meu cálice; mas, o meu Espírito se ilumina da sagrada certeza da vitória.

— Então, Senhor — exclamou Zebedeu, respeitoso —, o vosso reino é o da paz e da resignação que os crentes de Elias esperavam!

Jesus, com um sorriso de benignidade, acrescentou:

— A paz da consciência pura e a resignação suprema à vontade de meu Pai são do meu reino; mas os homens costumam falar de uma paz que é ociosidade de espírito e de uma resignação que é vício do sentimento. Trago comigo as armas para que o homem combata os inimigos que lhe subjugam o coração e não descansarei enquanto não tocarmos o porto da vitória. Eis por que o meu cálice, agora, tem de transbordar de fel, que são os esforços ingentes que a obra reclama.

E, como se quisesse pormenorizar os esclarecimentos, prosseguiu:

— Há homens poderosos no mundo que morrem comodamente em seus palácios, sem nenhuma paz no coração, transpondo em desespero e com a noite na consciência os umbrais da eternidade; há lutadores que morrem na batalha de todos os momentos, muita vez vencidos e humilhados, guardando, porém, completa serenidade de espírito, porque, em todo o bom combate, repousaram o pensamento no seio amoroso de Deus. Outros há que aplaudem o mal, numa falsa atitude de tolerância, para lhe sofrer amanhã os efeitos destruidores. Os verdadeiros discípulos das verdades do Céu, esses não aprovam o erro, nem exterminam os que o sustentam. Trabalham pelo bem, porque sabem que Deus também está trabalhando. O Pai não tolera o mal e o combate, por muito amar a seus filhos. Vê, pois, Zebedeu, que o nosso reino é de trabalho perseverante pelo bem real da Humanidade inteira.

Enquanto os dois Apóstolos fitavam em Jesus os olhos calmos e venturosos, Zebedeu o contemplava como se tivesse à sua frente o maior profeta do seu povo.

— Grande reino! — exclamou o velho pescador e, dando expansão ao entusiasmo que lhe enchia o coração, disse, ditoso:

— Senhor! Senhor! trabalharemos convosco, pregaremos o vosso Evangelho, aumentaremos o número dos vossos seguidores!...

Ouvindo estas últimas palavras, o Mestre elucidou, pondo ênfase nas suas expressões:

— Ouve, Zebedeu! nossa causa não é a do número; é a da Verdade e do bem. É certo que ela será um dia a causa do mundo inteiro, mas, até lá, precisamos esmagar a serpente do mal sob os nossos pés. Por enquanto, o número pertence aos movimentos da iniquidade. A mentira e a tirania exigem exércitos e monarcas, espadas e riquezas imensas para dominarem as criaturas. O amor, porém, essência de toda a glória e de toda a vida, pede um coração e sabe ser feliz. A impostura reclama interminável fileira de defensores, para espalhar a destruição; basta, no entanto, um homem bom para ensinar a Verdade de Deus e exaltar-lhe as glórias eternas, confortando a infinita legião de seus filhos. Quem será maior perante Deus? A multidão que se congrega para entronizar a tirania, esmagando os pequeninos, ou um homem sozinho e bem-intencionado que com um simples sinal salva uma barca cheia de pescadores?

Empolgado pela sabedoria daquelas considerações, Zebedeu perguntou:

— Senhor, então o Evangelho não será bom para todos?

— Em verdade — replicou o Mestre —, a mensagem da Boa-Nova é excelente para todos; porém, nem todos os homens são ainda bons e justos para com ela. É por isso que o Evangelho traz consigo o fermento da renovação e é ainda por isso que deixarei o júbilo e a energia como as melhores armas aos meus discípulos. Exterminando o mal e cultivando o bem, a Terra será para nós um glorioso campo de batalha. Se um companheiro cair na luta, foi o mal que tombou, nunca o irmão que, para nós outros, estará sempre de pé. Não repousaremos até o dia da vitória final. Não nos deteremos numa falsa contemplação de Deus, à margem do caminho, porque o Pai nos falará por intermédio de todas as criaturas trazidas à boa estrada; estaremos juntos na tempestade, porque aí a sua voz se manifesta com mais retumbância. Alegrar-nos-emos nos instantes transitórios da dor e da derrota, porque aí o seu coração amoroso nos dirá: "Vem, filho meu, estou nos teus sofrimentos com a luz dos meus ensinos!". Combateremos os deuses dos triunfos fáceis, porque sabemos que a obra do mundo pertence a Deus, compreendendo que a sua sabedoria nos convoca para completá-la, edificando o seu reino de venturas sem-fim no íntimo dos corações.

Jesus guardou silêncio por instantes. João e Tiago se lhe aproximaram, magnetizados pelo seu olhar enérgico e carinhoso. Zebedeu, como se não pudesse resistir à própria emotividade, fechara os olhos, com o peito oprimido de júbilo. Diante de si, num vasto futuro espiritual, via o Reino de Jesus desdobrar-se ao Infinito. Parecia ouvir a voz de Abraão e o eco grandioso de sua posteridade numerosa. Todos abençoavam o Mestre num hino glorificador. Até ali, seu velho coração conhecera a lei rígida e temera Jeová com a sua voz de trovão sobre as sarças[16] de fogo; Jesus lhe revelara o Pai carinhoso e amigo de seus filhos, que acolhe os velhos, os humildes e os derrotados da sorte, com uma expressão de bondade sempre nova. O velho pescador de Cafarnaum soltou as lágrimas que lhe rebentavam do peito e ajoelhou-se. Adiantando-se-lhe, Jesus exclamou:

— Levanta-te, Zebedeu! os filhos de Deus vivem de pé para o bom combate!

Avançando, então, dentro da pequena sala, o pai dos Apóstolos tomou a destra do Mestre e a umedeceu com as suas lágrimas de felicidade e de reconhecimento, murmurando:

— Senhor, meus filhos são vossos.

Jesus, atraindo-o docemente ao coração, lhe afagou os cabelos brancos, dizendo:

— Chora, Zebedeu! porque as tuas lágrimas de hoje são formosas e benditas!... Temias a Deus; agora o amas; estavas perdido nos raciocínios humanos sobre a lei; agora tens no coração a fonte da fé viva!

---

[16] N.E.: Mata densa; matagal.

~ 5 ~
Os discípulos

Frequentemente, era nas proximidades de Cafarnaum que o Mestre reunia a grande comunidade dos seus seguidores. Numerosas pessoas o aguardavam ao longo do caminho, ansiosas por lhe ouvirem a palavra instrutiva. Não tardou, porém, que Ele compusesse o seu reduzido colégio de discípulos.

Depois de uma das suas pregações do novo reino, chamou os doze companheiros que, desde então, seriam os intérpretes de suas ações e de seus ensinos. Eram eles os homens mais humildes e simples do lago de Genesaré.

Pedro, André e Filipe eram filhos de Betsaida, de onde vinham igualmente Tiago e João, descendentes de Zebedeu. Levi, Tadeu e Tiago, filhos de Alfeu e sua esposa Cleofas, parenta de Maria, eram nazarenos e amavam a Jesus desde a infância, sendo muitas vezes chamados "os irmãos do Senhor", à vista de suas profundas afinidades afetivas. Tomé descendia de um antigo pescador de Dalmanuta, e Bartolomeu nascera de uma família laboriosa de Caná da Galileia. Simão, mais tarde denominado "o

Zelote", deixara a sua terra de Canaã para dedicar-se à pescaria, e somente um deles, Judas, destoava um pouco desse concerto, pois nascera em Iscariotes e se consagrara ao pequeno comércio em Cafarnaum, no qual vendia peixes e quinquilharias.

O reduzido grupo de companheiros do Messias experimentou, a princípio, certas dificuldades para harmonizar-se. Pequeninas contendas geravam a separatividade entre eles. De vez em quando, o Mestre os surpreendia em discussões inúteis sobre qual deles seria o maior no Reino de Deus; de outras vezes, desejavam saber qual, dentre todos, revelava sabedoria maior, no campo do Evangelho.

Levi, continuava nos seus trabalhos da coletoria local, enquanto Judas prosseguia nos seus pequenos negócios, embora se reunissem diariamente aos demais companheiros. Os dez outros viviam quase que constantemente com Jesus, junto às águas transparentes do Tiberíades, como se participassem de uma festa incessante de luz.

Iniciando-se, entretanto, o período de trabalhos ativos pela difusão da nova doutrina, o Mestre reuniu os doze em casa de Simão Pedro e lhes ministrou as primeiras instruções referentes ao grande apostolado.

~

De conformidade com a narrativa de Mateus, as recomendações iniciais do Messias aclaravam as normas de ação que os discípulos deviam seguir para as realizações que lhes competiam concretizar.

— Amados — entrou Jesus a dizer-lhes, com mansidão extrema —, não tomareis o caminho largo por onde anda toda gente, levada pelos interesses fáceis e inferiores; buscareis a estrada escabrosa e estreita dos sacrifícios pelo bem de todos. Também não penetrareis nos centros de discussões estéreis, à moda dos samaritanos, nos das contendas que nada aproveitam às edificações do verdadeiro reino nos corações com sincero esforço.

Ide antes em busca das ovelhas perdidas da casa de nosso Pai que se encontram em aflição e voluntariamente desterradas de seu divino amor. Reuni convosco todos os que se encontram de coração angustiado e dizei-lhes, de minha parte, que é chegado o Reino de Deus.

Trabalhai em curar os enfermos, limpar os leprosos,[17] ressuscitar os que estão mortos nas sombras do crime ou das desilusões ingratas do mundo, esclarecei todos os Espíritos que se encontram em trevas, dando de graça o que de graça vos é concedido.

Não exibais ouro ou prata em vossas vestimentas, porque o Reino do Céu reserva os mais belos tesouros para os simples.

Não ajunteis o supérfluo em alforjes, túnicas ou alpercatas para o caminho, porque digno é o operário do seu sustento.

Em qualquer cidade ou aldeia onde entrardes, buscai saber quem deseje aí os bens do Céu, com sinceridade e devotamento a Deus, e reparti as bênçãos do Evangelho com os que sejam dignos, até que vos retireis.

Quando penetrardes nalguma casa, saudai-a com amor.

Se essa casa merecer as bênçãos de vossa dedicação, desça sobre ela a vossa paz; se, porém, não for digna, torne essa mesma paz aos vossos corações.

Se ninguém vos receber, nem desejar ouvir as vossas instruções, retirai-vos sacudindo o pó de vossos pés, isto é, sem conservardes nenhum rancor e sem vos contaminardes da alheia iniquidade.

Em verdade vos digo que dia virá em que menos rigor haverá para os grandes pecadores, do que para quantos procuram a Deus com os lábios da falsa crença, sem a sinceridade do coração.

---

[17] N.E.: Na época em que esta obra foi escrita, esse termo era comum, mas atualmente é considerado pejorativo e/ou preconceituoso. Hanseníase, morfeia, mal de Hansen ou mal de Lázaro é uma doença infecciosa causada pela bactéria *Mycobacterium leprae* (também conhecida como *bacilo de hansen*) que afeta os nervos e a pele, podendo provocar danos severos.

É por essa razão que vos envio como ovelhas ao antro dos lobos, recomendando-vos a simplicidade das pombas e a prudência das serpentes.

Acautelai-vos, pois, dos homens, nossos irmãos, porque sereis entregues aos seus tribunais e sereis açoitados nos seus templos suntuosos, no qual está exilada a ideia de Deus.

Sereis conduzidos, como réus, à presença de governadores e reis, de tiranos e descrentes, a fim de testemunhardes a minha causa.

No entanto, nos dias dolorosos da humilhação, não vos dê cuidado como haveis de falar, porque minha palavra estará convosco e sereis inspirados quanto ao que houverdes de dizer.

Porque não somos nós que falamos; o Espírito amoroso de nosso Pai é que fala em todos nós.

Nesses dias de sombra, em que se lutará no mundo por meu nome, o irmão entregará à morte o próprio irmão, o pai os filhos, espalhando-se nos caminhos o rastro sinistro dos lobos da iniquidade.

Os que me seguirem serão desprezados e odiados por minha causa, mas aquele que perseverar, até o fim, será salvo.

Quando, pois, fordes perseguidos numa cidade, transportai-vos para outra, porque em verdade vos afirmo que jamais estareis nos caminhos humanos sem que vos acompanhe o meu pensamento.

Se tendes de sofrer, considerai que também eu vim à Terra para dar o testemunho, e não é o discípulo mais do que o mestre, nem o servo mais que o seu senhor.

Se o adversário da luz vai reunir contra mim as tentações e as zombarias, o ridículo e a crueldade, que não fará aos meus discípulos?

Todavia, sabeis que acima de tudo está o nosso Pai e que, portanto, é preciso não temer, pois um dia, toda a Verdade será revelada e todo o bem triunfará.

O que vos ensino em particular, difundi-o publicamente; porque o que agora escutais aos ouvidos será o objeto de vossas pregações de cima dos telhados.

Trabalhai pelo Reino de Deus e não temais os que matam o corpo, mas não podem aniquilar a alma; temei antes os sentimentos malignos que mergulham o corpo e a alma no inferno da consciência.

Não se vendem dois passarinhos por um ceitil? Entretanto, nenhum deles cai dos seus ninhos sem a vontade do nosso Pai. Até mesmo os cabelos de nossas cabeças estão contados.

Não temais, pois, porque um homem vale mais que muitos passarinhos.

Empregai-vos no amor do Evangelho e qualquer de vós que me confessar, diante dos homens, eu o confessarei igualmente diante de meu Pai que está nos Céus.

~

As recomendações de Jesus foram ouvidas ainda por algum tempo e, terminada a sua alocução, no semblante de todos perpassava a nota íntima da alegria e da esperança. Os Apóstolos criam contemplar o glorioso porvir do Evangelho do reino e estremeciam do júbilo de seus corações.

Foi quando Judas Iscariotes, como que despertando, antes de todos os companheiros, daquelas profundas emoções de encantamento, se adiantou para o Messias, declarando em termos respeitosos e resolutos:

— Senhor, os vossos planos são justos e preciosos; entretanto, é razoável considerarmos que nada poderemos edificar sem a contribuição de algum dinheiro.

Jesus contemplou-o serenamente e redarguiu:

— Será que Deus precisou das riquezas precárias para construir as belezas do mundo? Em mãos que saibam dominá-lo, o dinheiro é um instrumento útil, mas nunca será tudo, porque, acima dos tesouros perecíveis, está o amor com os seus infinitos recursos.

Em meio da surpresa geral, Jesus, depois de uma pausa, continuou:

— No entanto, Judas, embora eu não tenha qualquer moeda do mundo, não posso desprezar o primeiro alvitre dos que contribuirão comigo para a edificação do Reino de meu Pai no espírito das criaturas. Põe em prática a tua lembrança, mas tem cuidado com a tentação das posses materiais. Organiza a tua bolsa de cooperação e guarda-a contigo; nunca, porém, procures o que ultrapasse o necessário.

Ali mesmo, pretextando a necessidade de incentivar os movimentos iniciais da grande causa, o filho de Iscariotes fez a primeira coleta entre os discípulos. Todas as possibilidades eram mínimas, mas alguns pobres denários foram recolhidos com interesse. O Mestre observava a execução daquela primeira providência, com um sorriso cheio de apreensões, enquanto Judas guardava cuidadosamente o fruto modesto de sua lembrança material. Em seguida, apresentando a Jesus a bolsa minúscula, que se perdia nas dobras de sua túnica, exclamou, satisfeito:

— Senhor, a bolsa é pequenina, mas constitui o primeiro passo para que se possa realizar alguma coisa...

Jesus fitou-o serenamente e retrucou em tom profético:

— Sim, Judas, a bolsa é pequenina; contudo, permita Deus que nunca sucumbas ao seu peso!

~ 6 ~
Fidelidade a Deus

Depois das primeiras prédicas de Jesus, respeito aos trabalhos ingentes que a edificação do Reino de Deus exigia dos seus discípulos, esboçou-se na fraterna comunidade um leve movimento de incompreensão. Quê? pois a Boa-Nova reclamaria tamanhos sacrifícios? Então o Senhor, que sondava o íntimo de seus companheiros diletos, os reuniu, uma noite, quando a turba os deixara a sós e já algumas horas haviam passado sobre o pôr do sol.

Interrogando-os vivamente, provocou a manifestação dos seus pensamentos e dúvidas mais íntimas. Após escutar-lhes as confidências simples e sinceras, o Mestre ponderou:

— Na causa de Deus, a fidelidade deve ser uma das primeiras virtudes. Onde o filho e o pai que não desejam estabelecer, como ideal de união, a confiança integral e recíproca? Nós não podemos duvidar da fidelidade do nosso Pai para conosco. Sua dedicação nos cerca os espíritos, desde o primeiro dia. Ainda não o conhecíamos e já Ele nos amava. E, acaso, poderemos desdenhar a possibilidade da retribuição? Não seria repudiarmos o título de filhos amorosos, o fato de nos deixarmos absorver no afastamento, favorecendo a negação?

Como os discípulos o escutassem atentos, bebendo-lhe os ensinos, o Mestre acrescentou:

— Tudo na vida tem o preço que lhe corresponde. Se vacilais receosos ante as bênçãos do sacrifício e as alegrias do trabalho, meditai nos tributos que a fidelidade ao mundo exige. O prazer não costuma cobrar do homem um imposto alto e doloroso? Quanto pagarão, em flagelações íntimas, o vaidoso e o avarento? Qual o preço que o mundo reclama ao gozador e ao mentiroso?

Ao clarão alvacento da lua, como pai bondoso rodeado de seus filhinhos, Jesus reconheceu que os discípulos, diante das suas cariciosas perguntas, haviam transformado a atitude mental, como que iluminados por súbito clarão.

Timidamente, Tiago, filho de Alfeu, contou a história de um amigo que arruinara a saúde por excessos nos prazeres condenáveis.

Tadeu falou de um conhecido que, depois de ganhar grande fortuna, se havia tornado avarento e mesquinho a ponto de privar-se do necessário, para multiplicar o número de suas moedas, acabando assassinado pelos ladrões.

Pedro recordou o caso de um pescador de sua intimidade, que sucumbira tragicamente, por efeito de sua desmedida ambição.

Jesus, depois de ouvi-los, satisfeito, perguntou:

— Não achais enorme o tributo que o mundo exige dos que se apegam aos seus gozos e riquezas? Se o mundo pede tanto, por que não poderia Deus pedir-nos lealdade ao coração? Trabalhamos agora pela instituição divina do seu reino na Terra, mas desde quando estará o Pai trabalhando por nós?

As interrogativas pairavam no espaço sem resposta dos discípulos, porque, acima de tudo, eles ouviam a que lhes dava o próprio coração. Do firmamento infinito os reflexos do luar se projetavam no lençol tranquilo do lago, dando a impressão de encantador caminho para o horizonte, aberto sobre as águas, por entre deslumbramentos de luz.

Enquanto os companheiros meditavam no que dissera Jesus, Tiago se lhe dirigia, nestes termos:

— Mestre, tenho um amigo, de Corazim, que vos ouviu a palavra santificante e desejava seguir-vos; porém, asseverou-me que o reino pregado pela vossa bondade está cheio de numerosos obstáculos, acrescentando que Deus deve mostrar-se a nós outros somente na vitória e na ventura. Devo confessar que hesitei ante as suas observações, mas, agora, esclarecido pelos vossos ensinamentos, melhor vos compreendo e afirmo-vos que nunca esquecerei minha fidelidade ao reino!...

A voz do Apóstolo, na sua confissão espontânea, se revelava tocada de entusiasmo doce e amigo, e o Senhor, aproveitando a hora para a semeadura divina, exclamou bondoso:

— Tiago, nem todos podem compreender a Verdade de uma só vez. Devemos considerar que o mundo está cheio de crentes que não entendem a proteção do Céu, senão nos dias de tranquilidade e de triunfo. Nós, porém, que conhecemos a Vontade suprema, temos que lhe seguir o roteiro. Não devemos pensar no Deus que concede, mas no Pai que educa; não no Deus que recompensa, sim no Pai que aperfeiçoa. Daí se segue que a nossa batalha pela redenção tem de ser perseverante e sem trégua...

Nesse ínterim, todos os companheiros de apostolado, manifestando o interesse que os esclarecimentos da noite lhes causavam, se puseram a perguntar, com respeito e carinho:

— Mestre — exclamou um deles —, não seria melhor fugirmos do mundo para viver na incessante contemplação do reino?...

— Que diríamos do filho que se conservasse em perpétuo repouso, junto de seu pai que trabalha sem cessar, no labor da grande família? — respondeu Jesus.

— De que modo, porém, se há de viver como homem e como Apóstolo do Reino de Deus na face deste mundo? — inquiriu Tadeu.

— Em verdade — esclareceu o Messias —, ninguém pode servir, simultaneamente, a dois senhores. Fora absurdo viver ao mesmo tempo para os prazeres condenáveis da Terra e para as virtudes sublimes do Céu. O discípulo da Boa-Nova tem de servir a Deus, servindo à sua obra neste mundo. Ele sabe que se acha a laborar com muito esforço num grande campo, propriedade de seu Pai, que o observa com carinho e atenta com amor nos seus trabalhos. Imaginemos que esse campo estivesse cheio de inimigos: por toda parte, vermes asquerosos, víboras peçonhentas, tratos de terra improdutiva. É certo que as forças destruidoras reclamarão a indiferença e a submissão do filho de Deus, mas o filho de coração fiel a seu Pai se lança ao trabalho com perseverança e boa vontade. Entrará em luta silenciosa com o meio, sofrer-lhe-á os tormentos com heroísmo espiritual, por amor do reino que traz no coração plantará uma flor na qual haja um espinho; abrirá uma senda, embora estreita, em que estejam em confusão os parasitos da terra; cavará pacientemente, buscando as entranhas do solo, para que surja uma gota d'água onde queime um deserto. Do íntimo desse trabalhador brotará sempre um cântico de alegria, porque Deus o ama e segue com atenção.

— Qual a primeira qualidade a cultivar no coração — perguntou um dos filhos de Zebedeu —, para que nos sintamos plenamente identificados com a grandeza espiritual da tarefa?

— Acima de todas as coisas — respondeu o Mestre — é preciso ser fiel a Deus.

A pequena assembleia parecia altamente enlevada e satisfeita; mas André inquiriu:

— Mestre, nestes últimos dias, tenho-me sentido doente e receio não poder trabalhar como os demais companheiros. Como poderei ser fiel a Deus, estando enfermo?

— Ouve — replicou o Senhor com certa ênfase. — Nos dias de calma, é fácil provar-se fidelidade e confiança. Não se prova, porém, dedicação, verdadeiramente, senão nas horas tormentosas, em que tudo parece contrariar e perecer. O enfermo tem consigo diversas possibilidades de trabalhar para nosso Pai, com mais altas probabilidades de êxito no serviço. Tateando ou rastejando, busquemos servir ao Pai que está nos Céus, porque nas suas mãos divinas vive o Universo inteiro!...

"André, se algum dia teus olhos se fecharem para a luz da Terra, serve a Deus com a tua palavra e com os ouvidos; se ficares mudo, toma, assim mesmo, a charrua, valendo-te das tuas mãos. Ainda que ficasses privado dos olhos e da palavra, das mãos e dos pés, poderias servir a Deus com a paciência e a coragem, porque a virtude é o verbo dessa fidelidade que nos conduzirá ao amor dos amores!"

O grupo dos Apóstolos calara-se, impressionado, ante aquelas recomendações. O luar esplendia sobre as águas silenciosas. O mais leve ruído não traía o silêncio augusto da hora.

André chorava de emoção, enquanto os outros observavam a figura do Cristo, iluminada pelos clarões da lua, deixando entrever um amoroso sorriso. Então, todos, impulsionados por soberana força interior, disseram, quase a um só tempo:

— Senhor, seremos fiéis!...

~

Jesus continuou a sorrir, como quem sabia a intensidade da luta a ser travada e conhecia a fragilidade das promessas humanas. Entretanto, do coração dos Apóstolos jamais se apagou a lembrança daquela noite luminosa de Cafarnaum, aureolada pelo ensinamento divino. Humilhados e perseguidos, crucificados na dor e esfolados vivos, souberam ser fiéis, diante de todas as vicissitudes da Natureza, e, transformando suas angústias e seus trabalhos num cântico de glorificação, sob a eterna inspiração do Mestre, renovaram a face do mundo.

~ 7 ~
A luta contra o mal

De todas as ocorrências da tarefa apostólica, os encontros do Mestre com os endemoninhados constituíam os fatos que mais impressionavam os discípulos.

A palavra "diabo" era então compreendida na sua justa acepção. Segundo o sentido exato da expressão, era ele o adversário do bem, simbolizando o termo, dessa forma, todos os maus sentimentos que dificultavam o acesso das almas à aceitação da Boa-Nova e todos os homens de vida perversa, que contrariavam os propósitos da existência pura, que deveriam caracterizar as atividades dos adeptos do Evangelho.

Dentre os companheiros do Messias, Tadeu era o que mais se deixava impressionar por aquelas cenas dolorosas. Aguçavam-lhe, sobremaneira, a curiosidade de homem os gritos desesperados dos Espíritos malfazejos, que se afastavam de suas vítimas sob a amorosa determinação do Mestre Divino. Quando os pobres obsidiados deixavam escapar um suspiro de alívio, Tadeu volvia os olhos para Jesus, maravilhado de seus feitos.

Certo dia em que o Senhor se retirara, com Tiago e João, para os lados de Cesareia de Filipe, uma pobre demente lhe foi trazida, a fim de que ele, Tadeu, anulasse a atuação dos Espíritos perturbadores que a subjugavam. Entretanto, apesar de todos os esforços de sua boa vontade, Tadeu não conseguiu modificar a situação. Somente no dia imediato, ao anoitecer, na presença confortadora do Messias, foi possível à infeliz dementada recuperar o senso de si mesma.

Observando o fato, Tadeu caiu em sério e profundo cismar. Por que razão o Mestre não lhes transmitia, automaticamente, o poder de expulsar os demônios malfazejos, para que pudessem dominar os adversários da causa divina? Se era tão fácil a Jesus a cura integral dos endemoninhados, por que motivo não provocava Ele de vez a aproximação geral de todos os inimigos da luz, a fim de que, pela sua autoridade, fossem definitivamente convertidos ao Reino de Deus? Com o cérebro torturado por graves cogitações e sonhando possibilidades maravilhosas para que cessassem todos os combates entre os ensinamentos do Evangelho e os seus inimigos, o discípulo inquieto procurou avistar-se particularmente com o Senhor, de modo a expor-lhe com humildade suas ideias íntimas.

~

Numa noite tranquila, depois de lhe escutar as ponderações, perguntou-lhe Jesus, em tom austero:

— Tadeu, qual o principal objetivo das atividades de tua vida?

Como se recebesse uma centelha de inspiração superior, respondeu o discípulo com sinceridade:

— Mestre, estou procurando realizar o Reino de Deus no coração.

— Se procuras semelhante realidade, por que a reclamas no adversário em primeiro lugar? Seria justo esqueceres as tuas próprias necessidades nesse sentido? Se buscamos atingir o infinito da sabedoria e do amor em nosso Pai, indispensável se faz reconheçamos que todos somos irmãos no mesmo caminho!...

— Senhor, os Espíritos do mal são também nossos irmãos? — inquiriu, admirado, o Apóstolo.

— Toda a criação é de Deus. Os que vestem a túnica do mal envergarão um dia a da redenção pelo bem. Acaso, poderias duvidar disso? O discípulo do Evangelho não combate propriamente o seu irmão, como Deus nunca entra em luta com seus filhos; aquele apenas combate toda manifestação de ignorância, como o Pai que trabalha incessantemente pela vitória do seu amor, junto da Humanidade inteira.

— No entanto, não seria justo — ajuntou o discípulo, com certa convicção — convocarmos todos os gênios malfazejos para que se convertessem à Verdade dos céus?

O Mestre, sem se surpreender com essa observação, disse:

— Por que motivo não procede Deus assim?... Porventura, teríamos nós uma substância de amor mais sublime e mais forte que a do seu coração paternal? Tadeu, jamais olvidemos o bom combate. Se alguém te convoca ao labor ingrato da má semente, não desdenhes a boa luta pela vitória do bem, encarando qualquer posição difícil como ensejo sagrado para revelares a tua fidelidade a Deus. Abraça sempre o teu irmão. Se o adversário do reino te provoca ao esclarecimento de toda a Verdade, não desprezes a hora de trabalhar pelo triunfo da luz; mas segue o teu caminho no mundo atento aos teus próprios deveres, pois não nos consta que Deus abandonasse as suas atividades divinas para impor a renovação moral dos filhos ingratos, que se rebelaram na sua casa. Se o mundo parece povoar-se de sombras, é preciso reconhecer que as Leis de Deus são sempre as mesmas, em todas as latitudes da vida.

"É indispensável meditar na lição de nosso Pai e não estacionar a meio caminho que percorremos. Os inimigos do reino se empenham em batalhas sangrentas? Não olvides o teu próprio trabalho. Padecem no inferno das ambições desmedidas? Caminha para Deus. Lançam a perseguição contra a Verdade? Tens contigo a Verdade Divina que o mundo não te poderá roubar, nunca. Os grandes patrimônios da vida não pertencem às forças da Terra, mas às do Céu. O homem, que dominasse o mundo inteiro com a sua força, teria de quebrar a sua espada sangrenta, ante os direitos inflexíveis da morte. E, além desta vida, ninguém te perguntará pelas obrigações que tocam a Deus, mas, unicamente, pelo mundo interior que te pertence a ti mesmo, sob as vistas amoráveis de nosso Pai.

"Que diríamos de um rei justo e sábio que perguntasse a um só de seus súditos pela justiça e pela sabedoria do reino inteiro? Entretanto, é natural que o súdito seja inquirido acerca dos trabalhos que lhe foram confiados, no plano geral, sendo também justo se lhe pergunte pelo que foi feito de seus pais, de sua companheira, de seus filhos e irmãos. Andas assim tão esquecido desses problemas fáceis e singelos? Aceita a luta, sempre que fores julgado digno dela e não te esqueças, em todas as circunstâncias, de que construir é sempre melhor".

Tadeu contemplou o Mestre, tomado de profunda admiração. Seus esclarecimentos lhe caíam no espírito como gotas imensas de uma nova luz.

— Senhor — disse ele —, vossos raciocínios me iluminam o coração; mas terei errado externando meus sentimentos de piedade pelos Espíritos malfazejos? Não devemos, então, convocá-los ao bom caminho?

— Toda intenção excelente — redarguiu Jesus — será levada em justa conta no Céu, mas precisamos compreender que não se deve tentar a Deus. Tenho aceitado a luta como o Pai ma envia e tenho esclarecido que a cada dia basta o seu trabalho. Nunca reuni o colégio dos meus companheiros para provocar as manifestações dos que se comprazem na treva; reuni-os, em todas as circunstâncias e oportunidades, suplicando para o nosso esforço a inspiração sagrada do Todo-Poderoso. O adversário é sempre um necessitado que comparece ao banquete das nossas alegrias e, por isso, embora não o tenha convocado, convidando somente os aflitos, os simples e os de boa vontade, nunca lhe fechei as portas do coração, encarando a sua vinda como uma oportunidade de trabalho, de que Deus nos julga dignos.

O Apóstolo humilde sorriu, saciado em sua fome de conhecimento, porém acrescentou, preocupado com a impossibilidade em que se via de atender eficazmente à vítima que o procurara:

— Senhor, vossas palavras são sempre sábias; entretanto, de que necessitarei para afastar as entidades da sombra, quando o seu império se estabeleça nas almas?!...

— Voltamos, assim, ao início das nossas explicações — retrucou Jesus —, pois, para isso, necessitas da edificação do reino no âmago do teu Espírito, sendo este o objetivo de tua vida. Só a luz do amor divino é bastante forte para converter uma alma à Verdade. Já vistes algum contendor da Terra convencer-se sinceramente tão só pela força das palavras do mundo? As dissertações filosóficas não constituem toda a realização. Elas podem ser um recurso fácil da indiferença ou uma túnica brilhante, acobertando penosas necessidades. O Reino de Deus, porém, é a edificação divina da Luz. E a Luz ilumina, dispensando os longos discursos. Capacita-te de que ninguém pode dar a outrem aquilo que ainda não possua no coração. Vai! Trabalha sem cessar pela tua grande vitória. Zela por ti e ama a teu próximo, sem olvidares que Deus cuida de todos.

~

Tadeu guardou os esclarecimentos de Jesus, para retirar de sua substância o mais elevado proveito no futuro.

No dia seguinte, desejando destacar, perante a comunidade dos seus seguidores, a necessidade de cada qual se atirar ao esforço silencioso pela sua própria edificação evangélica, o Mestre esclareceu com seus apólogos singelos, como se encontra dentro da narrativa de Lucas: "Quando o Espírito imundo sai do homem, anda por lugares áridos, procurando, e não o achando diz: — Voltarei para a casa donde saí; e, ao chegar, acha-a varrida e adornada. Depois, vai e leva consigo mais sete Espíritos piores do que ele, que ali entram e habitam; e o último estado daquele homem fica sendo pior do que o primeiro".

Então, todos os ouvintes das pregações do lago compreenderam que não bastava ensinar o caminho da Verdade e do bem aos Espíritos perturbados e malfazejos; que indispensável era edificasse cada um a fortaleza luminosa e sagrada do Reino de Deus, dentro de si mesmo.

~ 8 ~
Bom ânimo

O Apóstolo Bartolomeu foi um dos mais dedicados discípulos do Cristo, desde os primeiros tempos de suas pregações, junto ao Tiberíades. Todas as suas possibilidades eram empregadas em acompanhar o Mestre, na sua tarefa divina. Entretanto, Bartolomeu era triste e, vezes inúmeras, o Senhor o surpreendia em meditações profundas e dolorosas.

Foi, talvez, por isso que, uma noite, enquanto Simão Pedro e sua família se entregavam a inadiáveis afazeres domésticos, Jesus aproveitava alguns instantes para lhe falar mais demoradamente ao coração.

Após uma interrogativa afetuosa e fraternal, Bartolomeu deixou falasse o seu espírito sensível.

— Mestre — exclamou, timidamente —, não saberia nunca explicar-vos o porquê de minhas tristezas amargurosas. Só sei dizer que o vosso Evangelho me enche de esperanças para o Reino de Luz que nos espera os corações, além, nas alturas... Quando esclarecestes que o vosso reino não é deste mundo, experimentei uma nova coragem para atravessar as misérias do caminho da Terra, pois, aqui, o selo do mal parece obscurecer as coisas mais puras!... Por toda parte, é o triunfo do crime, o jogo das ambições, a colheita dos desenganos!...

A voz do Apóstolo se tornara quase abafada pelas lágrimas. Todavia, Jesus fitou-o brandamente e lhe falou, com serenidade:

— A nossa Doutrina, entretanto, é a do Evangelho ou da Boa-Nova e já viste, Bartolomeu, uma boa notícia não produzir alegria? Fazes bem, conservando a tua esperança em face dos novos ensinamentos, mas não quero senão acender o bom ânimo no espírito dos meus discípulos. Se já tive ocasião de ensinar que o meu reino ainda não é deste mundo, isso não quer dizer que eu desdenhe o trabalho de estendê-lo, um dia, aos corações que mourejam na Terra. Achas, então, que eu teria vindo a este mundo, sem essa certeza confortadora? O Evangelho terá de florescer, primeiramente, na alma das criaturas, antes de frutificar para o espírito dos povos. No entanto, venho de meu Pai, cheio de fortaleza e confiança, e a minha mensagem há de proporcionar grande júbilo a quantos a receberem de coração.

Depois de uma pausa, em que o discípulo o contemplava silencioso, o Mestre continuou:

— A vida terrestre é uma estrada prodigiosa, que conduz aos braços amorosos de Deus. O trabalho é a marcha. A luta comum é a caminhada de cada dia. Os instantes deliciosos da manhã e as horas noturnas de serenidade são os pontos de repouso, mas ouve-me bem: na atividade ou no descanso físico, a oportunidade de uma hora, de uma leve ação, de uma palavra humilde, é o convite de nosso Pai para que semeemos as suas bênçãos sacrossantas. Em geral, os homens abusam desse ensejo precioso para anteporem a sua vontade imperfeita aos desígnios superiores, perturbando a própria marcha. Daí resultam as jornadas mais ásperas obrigatórias para retificação das faltas cometidas, os infrutíferos labores. Em vista destas razões, observamos que os viajores da Terra estão sempre desalentados. Na obcecação de sua vontade própria, ferem a fronte nas pedras da estrada, cerram os ouvidos à realidade espiritual, vendam os olhos com a sombra da rebeldia e passam em lágrimas, em desesperadas imprecações[18] e amargurados gemidos, sem enxergarem a fonte cristalina, a estrela cariciosa do céu, o perfume da flor, a palavra de um amigo, a claridade das experiências que Deus espalhou, para a sua jornada, em todos os aspectos do caminho.

Houve um pequeno intervalo nas considerações afetuosas, depois do que, sem mesmo perceber inteiramente o alcance de suas palavras, Bartolomeu interrogou:

— Mestre, os vossos esclarecimentos dissipam os meus pesares, mas o Evangelho exige de nós a fortaleza permanente?

— A Verdade não exige: transforma. O Evangelho não poderia reclamar estados especiais de seus discípulos; porém, é preciso considerar que a alegria, a coragem e a esperança devem ser traços constantes de suas atividades em cada dia. Por que nos firmarmos no pesadelo de uma hora, se conhecemos a realidade gloriosa da eternidade com o nosso Pai?

— E quando os negócios do mundo nos são adversos? E quando tudo parece em luta contra nós? — perguntou o pescador, de olhar inquieto.

Jesus, todavia, como se percebesse, inteiramente, a finalidade de suas perguntas, esclareceu com bondade:

— Qual o melhor negócio do mundo, Bartolomeu? Será a aventura que se efetua a peso de ouro, muita vez amordaçando-se o coração e a consciência, para aumentar as preocupações da vida material, ou a iluminação definitiva da alma para Deus, que se realiza tão só pela boa vontade do homem, que deseje marchar para o seu amor, por entre as luzes do caminho? Não será a adversidade nos negócios do mundo um convite amigo para a criatura

---

[18] N.E.: Praga, maldição, blasfêmia.

semear com mais amor, um apelo indireto que a arranque às ilusões da Terra para as verdades do Reino de Deus?

Bartolomeu guardou aquela resposta no coração, não, todavia, sem experimentar certa estranheza. E logo, lembrando-se de que sua progenitora partira, havia pouco tempo, para a sombra do túmulo, interpelou ainda, ansioso:

— Mestre, e não será justificável a tristeza quando perdemos um ente amado?

— Mas quem estará perdido, se Deus é o Pai de todos nós?... Se os que estão sepultados no lodo dos crimes hão de vislumbrar, um dia, a alvorada da redenção, por que lamentarmos, em desespero, o amigo que partiu ao chamado do Todo-Poderoso? A morte do corpo abre as portas de um mundo novo para a alma. Ninguém fica verdadeiramente órfão sobre a Terra, como nenhum ser está abandonado, porque tudo é de Deus e todos somos seus filhos. Eis por que todo discípulo do Evangelho tem de ser um semeador de paz e de alegria!...

Jesus entrou em silêncio, como se houvera terminado a sua exposição judiciosa e serena.

E, pois que a hora já ia adiantada, Bartolomeu se despediu. O olhar do Mestre oferecia ao seu, naquela noite, uma luz mais doce e mais brilhante; suas mãos lhe tocaram os ombros, levemente, deixando-lhe uma sensação salutar e desconhecida.

~

Embora nascido em Caná da Galileia, Bartolomeu residia, então, em Dalmanuta, para onde se dirigiu, meditando gravemente nas lições que havia recebido. A noite pareceu-lhe formosa como nunca. No alto, as estrelas se lhe afiguravam as luzes gloriosas do palácio de Deus à espera das suas criaturas, com hinos de alegria. As águas do Genesaré, aos seus olhos, estavam mais plácidas e felizes. Os ventos brandos lhe sussurravam ao entendimento cariciosas inspirações, como um correio delicado que chegasse do Céu.

Bartolomeu começou a recordar as razões de suas tristezas intraduzíveis, mas, com surpresa, não mais as encontrou no coração. Lembrava-se de haver perdido a afetuosa progenitora; refletiu, porém, com mais amplitude, quanto aos desígnios da Providência Divina. Deus não lhe era pai e mãe nos céus? Recordou os contratempos da vida e ponderou que seus irmãos pelo sangue o aborreciam e caluniavam. Entretanto, Jesus não lhe era um irmão generoso e sincero? Passou em revista os insucessos materiais. Contudo, que eram as suas pescarias ou a avareza dos negociantes de Betsaida e de Cafarnaum, comparados à luz do Reino de Deus, que ele trabalhava por edificar no coração?

Chegou a casa pela madrugada. Ao longe, os primeiros clarões do sol lhe pareciam mensageiros ao conforto celestial. O canto das aves ecoava em seu espírito como notas harmoniosas de profunda alegria. O próprio mugido dos bois apresentava nova tonalidade aos seus ouvidos. Sua alma estava agora clara; o coração, aliviado e feliz.

Ao ranger os gonzos[19] da porta, seus irmãos dirigiram-lhe impropérios, acusando-o de mau filho, de vagabundo e traidor da lei. Bartolomeu, porém, recordou o Evangelho e sentiu que só ele tinha bastante alegria para dar a seus irmãos. Em vez de reagir asperamente, como de outras vezes, sorriu-lhes com a bondade das explicações amigas. Seu velho pai o acusou, igualmente, escorraçando-o. O Apóstolo, no entanto, achou natural. Seu pai não conhecia Jesus e ele o conhecia. Não conseguindo esclarecê-los, guardou os bens do silêncio e achou-se na posse de uma alegria nova. Depois de repousar alguns momentos, tomou as suas redes velhas e demandou sua barca. Teve para todos os companheiros de serviço uma frase consoladora e amiga. O lago como que estava mais acolhedor e mais belo; seus camaradas de trabalho, mais delicados e acessíveis. De tarde, não questionou

---

[19] N.E.: Dobradiças.

com os comerciantes, enchendo-lhes, aliás, o espírito de boas palavras e de atitudes cativantes e educativas.

Bartolomeu havia convertido todos os desalentos num cântico de alegria, ao sopro regenerador dos ensinamentos do Cristo; todos o observaram com admiração, exceto Jesus, que conhecia, com júbilo, a nova atitude mental de seu discípulo.

~

No sábado seguinte, o Mestre demandou as margens do lago, cercado de seus numerosos seguidores. Ali, aglomeravam-se homens e mulheres do povo, judeus e funcionários de Ântipas, a par de grande número de soldados romanos.

Jesus começou a pregar a Boa-Nova e, a certa altura, contou, conforme a narrativa de Mateus, que — "o Reino dos Céus é semelhante a um tesouro que, oculto num campo, foi achado e escondido por um homem que, movido de gozo, vendeu tudo o que possuía e comprou aquele campo".

Nesse instante, o olhar do Mestre pousou sobre Bartolomeu, que o contemplava, embevecido; a luz branda de seus olhos generosos penetrou fundo no íntimo do Apóstolo, pela ternura que evidenciava, e o pescador humilde compreendeu a delicada alusão do ensinamento, experimentando a alma leve e satisfeita, depois de haver alijado todas as vaidades de que ainda se não desfizera, para adquirir o tesouro divino, no campo infinito da vida.

Enviando a Jesus um olhar de amor e reconhecimento, Bartolomeu limpou uma lágrima. Era a primeira vez que chorava de alegria. O pescador de Dalmanuta aderira, para sempre, aos eternos júbilos do Evangelho do reino.

~ 9 ~
Velhos e moços

Não era raro observar-se, na pequena comunidade dos discípulos, o entrechoque das opiniões, dentro do idealismo quente dos mais jovens. Muita vez, o séquito humilde dividia-se em discussões, relativamente aos projetos do futuro.

Enquanto Pedro e André se punham a ouvir os companheiros, com a ingenuidade de seus corações simples e sinceros, João comentava os planos de luta no porvir; Tiago, seu irmão, falava do bom aproveitamento de sua juventude, ao passo que o jovem Tadeu fazia promessas maravilhosas.

— Somos jovens! — diziam. — Iremos à Terra inteira, pregaremos o Evangelho às nações, renovaremos o mundo!...

Tão logo o Mestre permitisse, sairiam da Galileia, pregariam as verdades do Reino de Deus naquela Jerusalém atulhada de preconceitos e de falsos intérpretes do pensamento divino. Sentiam-se fortes e bem-dispostos. Respiravam a longos haustos e supunham-se os únicos discípulos habilitados a traduzir com fidelidade os novos ensinamentos. Por longas horas, questionavam acerca de suas possibilidades, apresentavam as suas vantagens, debatiam seus projetos imensos. E pensavam consigo: que poderia realizar Simão Pedro, chefe de família e encarcerado nos seus pequeninos deveres? Mateus não estava igualmente enlaçado por inadiáveis obrigações de cada dia? André e o irmão os escutavam despreocupados, para meditarem apenas quanto às lições do Messias.

Entretanto, Simão, mais tarde chamado o "Zelote", antigo pescador do lago, acompanhava semelhantes conversações, humilhado. Algo mais velho que os companheiros, suas energias, a seu ver, já não se coadunavam com os serviços do Evangelho do reino. Ouvindo as palavras fortes da juventude dos filhos de Zebedeu, perguntava a si mesmo o que seria de seu esforço singelo, junto de Jesus. Começava a sentir mais fortemente o declínio das forças vitais. Suas energias pareciam descer de uma grande montanha, embora o Espírito se lhe conservasse firme e vigilante, no ritmo da vida.

Deixando-se, porém, impressionar vivamente, procurou entender-se com o Mestre, buscando eximir-se das dúvidas que lhe roíam o coração.

~

Depois de expor os seus receios e vacilações, observou que Jesus o fitava sem surpresa, como se tivesse pleno conhecimento de suas emoções.

— Simão — disse o Mestre com desvelado carinho —, poderíamos acaso perguntar a idade de nosso Pai? E se fôssemos contar o tempo, na ampulheta das inquietações humanas, quem seria o mais velho de todos nós? A vida, na sua expressão terrestre, é como uma árvore grandiosa. A infância é a sua ramagem verdejante. A mocidade se constitui de suas flores perfumadas e formosas. A velhice é o fruto da experiência e da sabedoria. Há ramagens que morrem depois do primeiro beijo do sol, e flores que caem ao primeiro sopro da primavera. O fruto, porém, é sempre uma bênção do Todo-Poderoso. A ramagem é uma esperança; a flor, uma promessa; o fruto é realização. Só Ele contém o doce mistério da vida, cuja fonte se perde no infinito da Divindade!...

Ao passo que o discípulo lhe meditava os conceitos, com sincera admiração, Jesus prosseguia, esclarecendo:

— Esta imagem pode ser também a da vida do Espírito, na sua radiosa eternidade, apenas com a diferença de que aí as ramagens e as flores não morrem nunca, marchando sempre para o fruto da edificação. Em face da grandeza espiritual da vida, a existência humana é uma hora de aprendizado, no caminho infinito do tempo; essa hora minúscula encerra o que existe no todo. É por isso que aí vemos, por vezes, jovens que falam com uma experiência milenária e velhos sem reflexão e sem esperança.

— Então, Senhor, de qualquer modo, a velhice é a meta do Espírito? — perguntou o discípulo, emocionado.

— Não a velhice enferma e amargurada que se conhece na Terra, mas a da experiência que edifica o amor e a sabedoria. Ainda aqui, devemos recordar o símbolo da árvore, para reconhecer que o fruto perfeito é a frescura da ramagem e a beleza da flor, encerrando o conteúdo divino do mel e da semente.

Percebendo que o Mestre estendera seus conceitos em amplas imagens simbológicas, o Apóstolo voltou a retrair-se em seu caso particular e obtemperou:

— A verdade, Senhor, é que me sinto depauperado e envelhecido, temendo não resistir aos esforços a que se obriga a minha alma, na semeadura da vossa doutrina santa.

— Mas escuta, Simão — redarguiu-lhe Jesus, com serenidade enérgica —, achas que os moços de amanhã poderão fazer alguma coisa sem os trabalhos dos que agora estão envelhecendo?!... Poderia a árvore viver sem a raiz; a alma, sem Deus?! Lembra-te da tua parte de esforço e não te preocupes com a obra que pertence ao Todo-Poderoso. Sobretudo, não olvides que a nossa tarefa, para dignidade perfeita de nossas almas, deve ser intransferível. João também será velho e os cabelos brancos de sua fronte contarão profundas experiências. Não te magoe a palestra dos jovens da Terra. A flor, no mundo, pode ser o princípio do fruto, mas pode também enfeitar o cortejo das ilusões. Quando te cerque o burburinho da mocidade, ama os jovens que revelem trabalho e reflexão; entretanto, não deixes de sorrir, igualmente, para os levianos e inconstantes; são crianças que pedem cuidado, abelhas que ainda não sabem fazer o mel. Perdoa-lhes os entusiasmos sem rumo, como se devem esquecer os impulsos de um menino na inconsciência dos seus primeiros dias de vida. Esclarece-os, Simão, e não penses que outro homem pudesse efetuar, no conjunto da obra divina, o esforço que te compete. Vai e tem bom ânimo!... Um velho sem esperança em Deus é um irmão triste da noite; mas eu venho trazer ao mundo as claridades de um dia perene.

Dando Jesus por terminado o seu esclarecimento, Simão, o Zelote, se retirou satisfeito, como se houvesse recebido no coração uma energia nova.

~

Voltando à casa pobre, encontrou Tiago, filho de Cleofas, falando à margem do lago com alguns jovens, apelando ardentemente para as suas forças realizadoras. Avistando o velho companheiro, o Apóstolo mais moço não o ofendeu, porém, fez uma pequena alusão à sua idade, para destacar as palavras de sua exortação aos companheiros pescadores. Simão, no entanto, sem experimentar qualquer laivo de ciúme, recordou as elucidações do Mestre e, logo que se fez silêncio, ao reconhecer que Tiago estava só, falou-lhe com brandura:

— Tiago, meu irmão, será que o Espírito tem idade? Se Deus contasse o tempo como nós, não seria Ele o mais velho de toda a criação? E que homem do mundo guardará a presunção de se igualar ao Todo-Poderoso? Um rapaz não conseguiria realizar a sua tarefa na Terra, se não tivesse a precedê-lo as experiências de seus pais. Não nos detenhamos na idade, esqueçamos as circunstâncias, para lembrar somente os fins sagrados de nossa vida, que deve ser a edificação do reino no íntimo das almas.

O filho de Alfeu escutou-lhe as observações singelas e reconheceu que eram ditas com uma fraternidade tão pura, que não lhe chegavam a ferir, nem de leve, o coração. Admirando a ternura serena do companheiro e sem esquecer o padrão de humildade que o Mestre cultivava, refletiu um momento e exclamou, comovido:

— Tens razão!

O velho Apóstolo não esperou qualquer justificativa de sua parte e, dando-lhe um abraço, mostrou-lhe um sorriso bom, deixando perceber que ambos deviam esquecer, para sempre, aquele minuto de divergência, a fim de se unirem cada vez mais em Jesus Cristo.

Naquela mesma tarde, quando o Messias começou a ensinar a sabedoria do Reino de Deus, Simão, o Zelote, notou que havia na praia duas criancinhas inconscientes. Dominada pela nova luz que fluía dos ensinamentos do Mestre, a mãe delas não vira que se distanciavam, ao longo do primeiro lençol raso das águas; o velho pescador, atento à pregação e às demais necessidades da hora em curso, observou os dois pequeninos e acompanhou-os. Com uma boa palavra, tomou-os nos braços, sentando-se numa pedra e, terminada que foi a reunião, os restituiu ao colo maternal, em meio a suave alegria e sincero reconhecimento. Inspirado por uma força estranha à sua alma, o discípulo compreendeu que o júbilo daquela tarde não teria sido completo se duas crianças houvessem desaparecido no seio imenso das águas, separando-se para sempre dos braços amoráveis de sua mãe. No âmago do seu espírito, havia um júbilo sincero. Compreendera com o Cristo o prazer de servir, a alegria de ser útil.

Nessa noite, Simão, o Zelote, teve um sonho glorioso para a sua alma simples. Adormecendo de consciência feliz, sonhou que se encontrava com o Messias, no cume de um monte que se elevava em estranhas fulgurações. Jesus o abraçou com carinho e lhe agradeceu o fraterno esclarecimento fornecido a Tiago, em sua lembrança, manifestando-lhe reconhecimento pelo seu terno cuidado com duas crianças desconhecidas, por amor de seu nome.

O discípulo sentia-se venturoso naquele momento sublime. Jesus, do alto da colina prodigiosa, mostrava-lhe o mundo inteiro. Eram cidades e campos, mares e montanhas... Em seguida, o antigo pescador compreendeu que seus olhos assombrados divisavam as paisagens do futuro. Ao lado de seu deslumbramento, passava a imensa família humana. Todas as criaturas fitavam o Mestre, com os olhos agradecidos e refulgentes de amor. As crianças lhe chamavam "Amigo fiel"; os jovens, "Verdade do Céu"; os velhos, "Sagrada esperança".

Simão acordou, experimentando indefinível alegria. Na manhã imediata, antes do trabalho, procurou o Senhor e beijou-lhe a fímbria[20] humilde da túnica, exclamando jubilosamente:

— Mestre, agora vos compreendo!...

Jesus contemplou-o com amor e respondeu:

— Em verdade, Simão, ser moço ou velho, no mundo, não interessa!... Antes de tudo, é preciso ser de Deus!...

---

[20] N.E.: Adorno constituído de bordado ou fios entrelaçados, geralmente aplicado na borda de tecidos; franja.

~ 10 ~
# O perdão

As primeiras peregrinações do Cristo e de seus discípulos, em torno do lago, haviam alcançado inolvidáveis triunfos. Eram doentes atribulados que agradeciam o alívio buscado ansiosamente; trabalhadores humildes que se enchiam de santas consolações ante as promessas divinas da Boa-Nova.

Aquelas atividades, entretanto, começaram a despertar a reação dos judeus rigoristas, que viam em Jesus um perigoso revolucionário. O amor que o Profeta nazareno pregava vinha quebrar antigos princípios da lei judaica. Os senhores da terra observavam cuidadosamente as palestras dos escravos, que permutavam imenso júbilo, proveniente das esperanças num novo reino que não chegavam a compreender. Os mais egoístas pretendiam ver no Profeta generoso um conspirador vulgar, que desejava levantar as iras populares contra a dominação de Herodes; outros presumiam na sua figura um feiticeiro incomum, que era preciso evitar.

Foi assim que a viagem do Mestre a Nazaré redundou numa excursão de grandes dificuldades, provocando de sua parte as observações quase amargas que se encontram no Evangelho, com respeito ao berço daqueles que o deveriam guardar no santuário do coração. Não foram poucos os adversários de suas ideias renovadoras que o precederam na cidade minúscula, buscando neutralizar-lhe a ação por meio de falsas notícias e desmoralizá-lo, argumentando com informações mal alinhavadas de alguns nazarenos.

Jesus sentiu de perto a delicadeza da situação que se lhe criara com a primeira investida dos inimigos gratuitos de sua doutrina, mas aproveitou todas as oportunidades para as melhores ilações na esfera do ensinamento.

No entanto, o mesmo não aconteceu a seus discípulos. Filipe e Simão Pedro chegaram a questionar seriamente com alguns senhores da região, trocando palavras ásperas, em torno das edificações do Messias. As gargalhadas irônicas, as apreciações menos dignas lhes acendiam no ânimo propósitos impulsivos de defesas apaixonadas. Não faltavam os que viam no Senhor um servo ativo do espírito do mal, um inimigo de Moisés, um asseclah[21] de príncipes desconhecidos, ou de traidores ao poder político de Ântipas. Tamanhas foram as discussões em Nazaré, que os seus reflexos nocivos se faziam sentir fortemente sobre toda a comunidade dos discípulos. Pedro e André advogavam a causa do Mestre com expressões incisivas e sinceras. Tiago aborrecia-se com a análise dos companheiros. Levi protestava, expressando o desejo de instituir debates públicos, de maneira a evidenciar-se a superioridade dos ensinos do Messias, em confronto com os velhos textos.

Jesus compreendeu os acontecimentos e, calmamente, ordenou a retirada, afastando-se da cidade com tranquilo sorriso.

Não obstante a determinação e apesar do regresso a Cafarnaum, a maioria dos Apóstolos prosseguiu em discussão,

---

[21] N.E.: Adepto, correligionário, partidário.

estranhando que o Mestre nada fizesse, reagindo contra as envenenadas insinuações a seu respeito.

～

Daí a alguns dias, obedecendo às circunstâncias ocorrentes naquela situação, Pedro e Filipe procuraram avistar-se com o Senhor, ansiosos pela claridade dos seus ensinos.

— Mestre, chamaram-vos servo de Satanás e reagimos prontamente! — dizia Pedro, com sinceridade ingênua.

— Observávamos que por vós mesmo nunca oporíeis a contradita — ajuntava Filipe, convicto de haver prestado excelente serviço ao Mestre bem-amado — e por isso revidamos aos ataques com a maior força de nossas expressões.

Não obstante o calor daquelas afirmativas, Jesus meditava com uma doce placidez no olhar profundo, enquanto os interlocutores o contemplavam, ansiando pela sua palavra de franqueza e de amor.

Afinal, saindo de suas reflexões silenciosas, o Mestre interrogou:

— Acaso poderemos colher uvas nos espinheiros? De modo algum me empenharia em Nazaré numa contradita estéril aos meus opositores. Contudo, procurei ensinar que a melhor réplica é sempre a do nosso próprio trabalho, do esforço útil que nos seja possível. Nesse particular, não deixei de operar na minha esfera de ação, de modo a produzir resultados a nossa excursão à cidade vizinha, tornando-a proveitosa, sem desdenhar as palavras construtivas no instante oportuno. De que serviriam as longas discussões públicas, inçadas de doestos[22] e zombarias? Ao termo de todas elas, teríamos apenas menores probabilidades para o triunfo glorioso do amor e maiores motivos para a separatividade e odiosas dissensões. Só devemos dizer aquilo que o coração pode

---

[22] N.E.: Acusação desonrosa que se lança a outrem; descompostura, injúria, insulto.

testificar mediante atos sinceros, porque, de outra forma, as afirmações são simples ruído sonoro de uma caixa vazia.

— Mestre — atalhou Filipe, quase com mágoa —, a verdade é que a maioria de quantos compareceram às pregações de Nazaré falava mal de vós!

— Não será vaidade, porém, exigirmos que toda gente faça de nossa personalidade elevado conceito? — interrogou Jesus com energia e serenidade. — Nas ilusões que as criaturas da Terra inventaram para a sua própria vida, nem sempre constitui bom atestado da nossa conduta o falarem todos bem de nós, indistintamente. Agradar a todos é marchar pelo caminho largo, onde estão as mentiras da convenção. Servir a Deus é tarefa que deve estar acima de tudo e, por vezes, nesse serviço divino, é natural que desagrademos aos mesquinhos interesses humanos. Filipe, sabes de algum emissário de Deus que fosse bem apreciado no seu tempo? Todos os portadores da Verdade do Céu são incompreendidos de seus contemporâneos. Portanto, é indispensável considerarmos que o conceito justo é respeitável, mas, antes dele, necessitamos obter a aprovação legítima da consciência, dentro de nossa lealdade para com Deus.

— Mestre — obtemperou Simão Pedro, a quem as explicações da hora calavam profundamente —, nos acontecimentos mais fortes da vida, não deveremos, então, utilizar as palavras enérgicas e justas?

— Em toda circunstância, convém naturalmente que se diga o necessário, porém, é também imprescindível que não se perca tempo.

Deixando transparecer que as elucidações não lhe satisfaziam plenamente, perguntou Filipe:

— Senhor, vossos esclarecimentos são indiscutíveis; entretanto, preciso acrescentar que alguns dos companheiros se revelaram insuportáveis nessa viagem a Nazaré; uns me acusaram de brigão e desordeiro, outros, de mau entendedor de vossos ensinamentos. Se os próprios irmãos da comunidade apresentam essas falhas, como há de ser o futuro do Evangelho?

O Mestre refletiu um momento e retrucou:

— Estas são perguntas que cada discípulo deve fazer a si mesmo. Todavia, com respeito à comunidade, Filipe, pelo que me compete esclarecer, cumpre-me perguntar-te se já edificaste o Reino de Deus no íntimo do teu espírito.

— É verdade que ainda não — respondeu hesitante, o Apóstolo.

— De dentro dessa realidade, podes observar que, se o nosso colégio fosse constituído de irmãos perfeitos, teria deixado de ser irrepreensível pela adesão de um amigo que ainda não houvesse conquistado a divina edificação.

Ambos os discípulos compreendiam e se punham a meditar, enquanto o Cristo continuava:

— O que é indispensável é nunca perdermos de vista o nosso próprio trabalho, sabendo perdoar com verdadeira espontaneidade de coração. Se nos labores da vida um companheiro nos parece insuportável, é possível que também algumas vezes sejamos considerados assim. Temos que perdoar aos adversários, trabalhar pelo bem dos nossos inimigos, auxiliar os que zombam da nossa fé.

Nesse ponto de suas afirmativas, Pedro atalhou-o, dizendo:

— Entretanto, para perdoar não deveremos aguardar que o inimigo se arrependa? E que fazer, na hipótese de o malfeitor assumir a atitude dos lobos sob a pele da ovelha?

— Pedro, o perdão não exclui a necessidade da vigilância, como o amor não prescinde da verdade. A paz é um patrimônio que cada coração está obrigado a defender, para bem trabalhar no serviço divino que lhe foi confiado. Se o nosso irmão se arrepende e procura o nosso auxílio fraterno, amparemo-lo com as energias que possamos despender, mas em nenhuma circunstância cogites de saber se o teu irmão está arrependido. Esquece o mal e trabalha pelo bem. Quando ensinei que cada homem deve conciliar-se depressa com o adversário, busquei salientar que ninguém pode ir a Deus com um sentimento de odiosidade no coração. Não poderemos saber se o nosso adversário está disposto à conciliação; todavia, podemos garantir que nada se fará sem a nossa boa vontade e pleno esquecimento dos males recebidos. Se o irmão infeliz se arrepender, estejamos sempre dispostos a ampará-lo e, a todo momento, precisamos e devemos olvidar o mal.

Foi quando, então, fez Simão Pedro a sua célebre pergunta:

— Senhor, quantas vezes pecará meu irmão contra mim, que lhe hei de perdoar? Será até sete vezes?

Jesus respondeu-lhe, calmamente:

— Não te digo que até sete vezes, mas até setenta vezes sete.

～

Daí por diante, o Mestre sempre aproveitou as menores oportunidades para ensinar a necessidade do perdão recíproco, entre os homens, na obra sublime da redenção.

Acusado de feiticeiro, de servo de Satanás, de conspirador, Jesus demonstrou, em todas as ocasiões, o máximo de boa vontade para com os Espíritos mais rasteiros de seu tempo. Sem desprezar a boa palavra, no instante oportuno, trabalhou a todas as horas pela vitória do amor, com o mais alto idealismo construtivo. E, no dia inesquecível do Calvário, em frente dos seus perseguidores e verdugos, revelando aos homens ser indispensável a imediata conciliação entre o Espírito e a harmonia da vida, foram estas as suas últimas palavras — "Pai, perdoa-lhes, porque não sabem o que fazem!...".

~ 11 ~
O Sermão do Monte

Difundidas as primeiras claridades da Boa-Nova, todos os enfermos e derrotados da sorte, habitantes de Corazim, Magdala, Betsaida, Dalmanuta e outras aldeias importantes do lago enchiam as ruas de Cafarnaum em turbas ansiosas.

Os companheiros do Mestre eram os mais visados pela multidão, por motivo do permanente contato em que viviam com o seu amor. De vez em quando, Filipe era assaltado, em caminho, por uma onda de doentes; Pedro tinha a casa rodeada de criaturas desalentadas e tristes. Todos queriam o auxílio de Jesus, o benefício imediato de sua poderosa virtude.

Aos primeiros dias do apostolado, um pequeno grupo de infelizes procurou Levi na sua confortável residência. Desejavam explicações sobre o Evangelho do reino, de modo a trabalharem com mais acerto na observância dos ensinamentos do Cristo. O coletor da cidade manifestou certa estranheza.

— Afinal — disse ele aos infortunados que o procuravam —, o novo reino congregará todos os corações sinceros e de boa vontade, que desejem irmanar-se como filhos de Deus, mas que podeis fazer na situação em que vos encontrais?

E dirigindo-se a três deles, seus conhecidos pessoais, falou convicto:

— Que poderás realizar, Lisandro, aleijado como és?! E tu, Áquila, não foste abandonado pela própria família, sob o peso de sérias acusações? E tu, Pafos? Acaso edificarias alguma coisa com as tuas atuais aflições?

Os interpelados entreolharam-se cabisbaixos, humilhados. Somente então chegavam a reconhecer as suas penosas deficiências. A palavra rude de Levi os despertara. Tomara-os uma dor sem limites. Jesus dissera, nas suas pregações carinhosas, que seu amor viera buscar todos os que se encontrassem em tristeza e em angústias do coração. Quando o Mestre chegara, haviam experimentado a restauração de todas as energias. Jubilosos, guardavam as suas promessas, relativamente ao Pai justo e bom, que amava os filhos mais infelizes, renovando nos corações as esperanças mais puras. Achavam-se exaustos, mas a lição de Jesus lhes trouxera novo consolo às almas desamparadas de qualquer conforto material. Queriam ser de Deus, vibrar com a exaltação das promessas do Cristo, porém a palavra de Levi novamente os arrojara à condição desditosa.

O grupo de pobres e infortunados retirou-se em desalento; no entanto, o Mestre pregaria no monte, àquela tarde, e, quem sabe, ministraria os ensinamentos de que necessitavam?!...

~

Decorridos alguns instantes, Jesus, em companhia de André, deu entrada em casa de Levi, onde se puseram os três em animada palestra. O coletor, a certa altura da conversação, a sorrir ingenuamente, relatou a ocorrência, terminando alegremente a sua exposição, com estas palavras:

— Que conseguiria o Evangelho do reino, com esses aleijados e mendigos? — Mas, lembrando-se de súbito que os demais companheiros eram criaturas pobres e humildes, acrescentou:

— É justo esperemos alguma coisa dos pescadores de Cafarnaum; são homens fortes e desassombrados e o bom trabalho lhes cabe. Não vejo, porém, como aceitar a contribuição desses desafortunados e vencidos que nos procuram.

Jesus fixou o olhar no discípulo com profundo desvelo e falou com bondade, batendo-lhe levemente no ombro:

— No entanto, Levi, precisamos amar e aceitar a preciosa colaboração dos vencidos do mundo!... Se o Evangelho é a Boa-Nova, como não há de ser a mensagem divina para eles, tristes e deserdados na imensa família humana? Os vencedores da Terra não necessitam de boas notícias. Nas derrotas da sorte, as criaturas ouvem mais alto a voz de Deus. Buscando os oprimidos, os aflitos e os caluniados, sentimo-los tão unidos ao Céu, nas suas esperanças, que reconhecemos, na coragem tranquila que revelam, um sublime reflexo da presença de nosso Pai em seus espíritos. Já observaste algum vencedor do mundo com mais alta preocupação do que a de defender o fruto de sua vitória material?

Levi sentia-se comovido e, aproveitando a pequena pausa que se fizera, exclamou, algo desapontado:

— Senhor, minhas observações partiram tão só do meu intenso desejo de apressar a supremacia do Evangelho entre os que governam no mundo!...

— Quem governa o mundo é Deus — afirmou o Mestre, convictamente — e o amor não age com inquietação. Agora, imaginemos, Levi, que os triunfadores da Terra viessem até nós, ensarilhando suas armas exteriores. Figuremos alguns generais romanos chegando a Cafarnaum, com os seus troféus numerosos e sangrentos, afirmando-se desejosos de aceitar o Evangelho do Reino de Deus e oferecendo-se para cooperar em nosso esforço. Certamente trariam consigo legiões de guardas e soldados, funcionários e escribas, carros de triunfos, espadas e prisioneiros... Começariam protestando contra as nossas pregações pelas estradas desataviadas da Natureza. Por não estarem, no íntimo, desarmados das vaidades das vitórias, edificariam suntuosos templos de pedra, em cuja construção lutariam duramente por hegemonias inferiores; uns desejariam palácios soberbos, outros empreenderiam a construção de jardins maravilhosos. Recordando a ação das espadas mortíferas, talvez pretendessem disputar a ferro e fogo o estabelecimento do Reino de Deus, exterminando-se reciprocamente, por não cederem uns aos outros em seus pontos de vista, desde que cada vencedor se julga, no mundo, com maior soma de direitos e de importância. A pretexto de lutarem em nome do Céu, espalhariam possivelmente incêndios e devastações em toda a Terra. E seria justo, Levi, trabalhássemos por cumprir a vontade do nosso Pai, aniquilando seus filhos, nossos irmãos?

O Apóstolo o ouvia assombrado, em face da profundeza de sua argumentação. O Mestre continuou:

— Até que a esponja do tempo absorva as imperfeições terrestres, diante de séculos de experiência necessária, os triunfadores do mundo são pobres seres que caminham por entre tenebrosos abismos. É imprescindível, pois, atentemos na alma branda e humilde dos vencidos. Para os seus corações Deus carreia bênçãos de infinita bondade. Esses quebraram os elos mais fortes que os acorrentavam às ilusões e marcham para o infinito do amor e da sabedoria. O leito de dor, a exclusão de todas as facilidades da vida, a incompreensão dos mais amados, as chagas e as cicatrizes do Espírito são luzes que Deus acende na noite sombria das criaturas. Levi, é necessário amemos intensamente os desafortunados do mundo. Suas almas são a terra fecundada pelo adubo das lágrimas e das esperanças mais ardentes, onde as sementes do Evangelho desabrocharão para a luz da vida. Eles saíram das convenções nefastas e dos enganos do caminho terrestre e bendizem do nosso Pai, como sentenciados que experimentassem, no primeiro dia de liberdade, o clarão reconfortante do sol amigo e radioso que os seus corações haviam perdido! É também sobre os vencidos da sorte, sobre os que suspiram por um ideal mais santo e mais puro do que as vitórias fáceis da Terra, que o Evangelho assentará suas bases divinas!...

André e Levi escutavam de olhos úmidos os conceitos do Senhor, cheios de sublimada emoção. Nesse ínterim, chegaram Tiago, João e Pedro e todo o grupo se dirigiu, alegre, para um dos montes próximos.

~

O crepúsculo descia num deslumbramento de ouro e brisas cariciosas. Ao longo de toda a encosta, acotovelava-se a turba imensa. Muitas centenas de criaturas se aglomeravam ali, a fim de ouvirem a palavra do Senhor, dentro da paisagem que se aureolava dos brilhos singulares de todo o horizonte pincelado de luz. Eram velhinhos trêmulos, lavradores simples e generosos, mulheres do povo agarradas aos filhinhos. Entre os mais fortes e sadios, viam-se cegos e crianças doentes, homens maltrapilhos, exibindo as verminas que lhes corroíam as mãos e os pés. Todos se comprimiam ofegantes. Ante os seus olhares felizes, a figura do Mestre surgiu na eminência enfeitada de verdura, onde perpassavam brandamente os ventos amigos da tarde. Deixando perceber que se dirigia aos vencidos e sofredores do mundo inteiro e como que esclarecendo o espírito de Levi, que representava a aristocracia intelectual entre os seus discípulos, na sua qualidade de cobrador dos tributos populares, Jesus, pela primeira vez, pregou as bem-aventuranças celestiais. Sua voz caía como bálsamo eterno sobre os corações desditosos.

Bem-aventurados os pobres e os aflitos!
Bem-aventurados os sedentos de justiça e misericórdia!...
Bem-aventurados os pacíficos e os simples de coração!...

Por muito tempo falou do Reino de Deus, onde o amor edificaria maravilhas perenes e sublimadas. Suas promessas pareciam dirigidas ao incomensurável futuro humano. Do alto do monte, soprava um vento leve, em deliciosas vagas de perfume. As brisas da Galileia se haviam impregnado da virtude poderosa e indestrutível daquelas palavras e, obedecendo a uma determinação superior, iam espalhar-se entre todos os aflitos da Terra.

Quando Jesus terminou a sua alocução, algumas estrelas já brilhavam no firmamento, como radiosas bênçãos divinas. Muitas mães sofredoras e oprimidas, com suave fulgor nos olhos, lhe trouxeram os filhinhos para que Ele os abençoasse. Anciães de frontes nevadas pelos invernos da vida lhe beijavam as mãos. Cegos e leprosos rodeavam-no com semblante sorridente e diziam:

— Bendito seja o Filho de Deus! — Jesus acolhia-os satisfeito, enviando a todos o sorriso de sua afeição.

Levi sentiu que, naquele crepúsculo inolvidável, uma emoção diferente lhe dominava a alma. Havia compreendido os que abandonam as ilusões do mundo para se elevarem a Deus. Observando as filas dos humildes populares que se retiravam, tomados de imenso conforto, o discípulo percebeu que os pobres amigos que o visitaram à tarde desciam o monte, abraçados, com uma expressão de grande ventura, como se os animasse um júbilo sem limite. O coletor de Cafarnaum aproximou-se e os saudou transbordante de alegria, compreendendo que o ensino do Mestre, em toda a sua luz, abrangia o porvir infinito do mundo. Grande esperança e indefinível paz lhe haviam penetrado o âmago do ser. No dia imediato, o ex-publicano abriu suas portas a todos os convivas daquele crepúsculo memorável. Jesus participou da festa, partiu o pão e se alegrou com eles. E quando Levi abraçou o aleijado Lisandro, com a sinceridade de sua alma fiel, o Mestre o contemplou enternecido e disse:

— Levi, meu coração se rejubila hoje contigo, porque são também bem-aventurados todos os que ouvem e compreendem a palavra de Deus!...

~ 12 ~
Amor e renúncia

O manto da noite caía de leve sobre a paisagem de Cafarnaum, e Jesus, depois de uma das grandes assembleias populares do lago, se recolhia à casa de Pedro em companhia do Apóstolo. Com a sua palavra divina havia tecido luminosos comentários em torno dos mandamentos de Moisés; Simão, no entanto, ia pensativo como se guardasse uma dúvida no coração.

Inquirido com bondade pelo Mestre, o Apóstolo esclareceu:

— Senhor, em face dos vossos ensinamentos, como deveremos interpretar a vossa primeira manifestação, transformando a água em vinho, nas bodas de Caná? Não se tratava de uma festa mundana? O vinho não iria cooperar para o desenvolvimento da embriaguez e da gula?

Jesus compreendeu o alcance da interpelação e sorriu.

— Simão — disse Ele —, conheces a alegria de servir a um amigo?

Pedro não respondeu, pelo que o Mestre continuou:

— As bodas de Caná foram um símbolo da nossa união na Terra. O vinho, ali, foi bem o da alegria com que desejo selar a existência do Reino de Deus nos corações. Estou com os meus amigos e amo-os a todos. Os afetos da alma, Simão, são laços misteriosos que nos conduzem a Deus. Saibamos santificar a nossa afeição, proporcionando aos nossos amigos o máximo da alegria; seja o nosso coração uma sala iluminada onde eles se sintam tranquilos e ditosos. Tenhamos sempre júbilos novos que os reconfortem, nunca contaminemos a fonte de sua simpatia com a sombra dos pesares! As mais belas horas da vida são as que empregamos em amá-los, enriquecendo-lhes as satisfações íntimas.

Contudo, Simão Pedro, manifestando a estranheza que aquelas advertências lhe causavam, interpelou ainda o Mestre, com certa timidez:

— E como deveremos proceder quando os amigos não nos entendam, ou quando nos retribuam com ingratidão?

Jesus pôs nele o olhar lúcido e respondeu:

— Pedro, o amor verdadeiro e sincero nunca espera recompensas. A renúncia é o seu ponto de apoio, como o ato de dar é a essência de sua vida. A capacidade de sentir grandes afeições já é em si mesma um tesouro. A compreensão de um amigo deve ser para nós a maior recompensa. Todavia, quando a luz do entendimento tardar no espírito daqueles a quem amamos, deveremos lembrar-nos de que temos a sagrada compreensão de Deus, que nos conhece os propósitos mais puros. Ainda que todos os nossos amigos do mundo se convertessem, um dia, em nossos adversários, ou mesmo em nossos algozes, jamais nos poderiam privar da alegria infinita de lhes haver dado alguma coisa...

E com o olhar absorto na paisagem crepuscular, onde vibravam sutis harmonias, Jesus ponderou, profeticamente:

— O vinho de Caná poderá transformar-se um dia, no vinagre da amargura; contudo, sentirei, mesmo assim, júbilo em sorvê-lo, por minha dedicação aos que vim buscar para o amor do Todo-Poderoso.

Simão Pedro, ante a argumentação consoladora e amiga do Mestre, dissipava as suas derradeiras dúvidas, enquanto a noite se apoderava do ambiente, ocultando o conjunto das coisas no seu leque imenso de sombras.

～

Muito tempo ainda não decorrera sobre essa conversação, quando o Mestre, em seus ensinos, deixou perceber que todos os homens, que não estivessem decididos a colocar o Reino de Deus acima de pais, mães e irmãos terrestres, não podiam ser seus discípulos.

No dia desses novos ensinamentos, terminados os labores evangélicos, o mesmo Apóstolo interpelou o Senhor, na penumbra de suas expressões indecisas:

— Mestre, como conciliar estas palavras tão duras com as vossas anteriores observações, relativamente aos laços sagrados entre os que se estimam?!

Sem deixar transparecer nenhuma surpresa, Jesus esclareceu:

— Simão, a minha palavra não determina que o homem quebre os elos santos de sua vida; antes exalta os que tiverem a verdadeira fé para colocar o poder de Deus acima de todas as coisas e de todos os seres da Criação infinita. O amor dos pais não constitui uma lembrança da bondade permanente de Deus? O afeto dos filhos não representa um suave perfume do coração?! Tenho dado aos meus discípulos o título de amigos, por ser o maior de todos.

"O Evangelho" — continuou o Mestre, estando o Apóstolo a ouvi-lo atentamente — "não pode condenar os laços de família, mas coloca acima deles o laço indestrutível da paternidade de Deus. O Reino do Céu no coração deve ser o tema central de nossa vida. Tudo mais é acessório. A família, no mundo, está igualmente subordinada aos imperativos dessa edificação. Já pensaste, Pedro, no supremo sacrifício de renunciar? Todos os homens sabem conservar, são raros os que sabem privar-se. Na construção do Reino de Deus, chega um instante de separação, que é necessário se saiba suportar com sincero desprendimento. E essa separação não é apenas a que se verifica pela morte do corpo, muitas vezes proveitosa e providencial, mas também a das posições estimáveis no mundo, a da família terrestre, a do viver nas paisagens queridas, ou, então, a de uma alma bem-amada que preferiu ficar, a distância, entre as flores venenosas de um dia!...

"Ah! Simão, quão poucos sabem partir, por algum tempo, do lar tranquilo, ou dos braços adorados de uma afeição, por amor desse reino que é o tabernáculo da vida eterna! Quão poucos saberão suportar a calúnia, o apodo, a indiferença, por desejarem permanecer dentro de suas criações individuais, cerrando ouvidos à advertência do Céu para que se afastem tranquilamente!... Como são raros os que sabem ceder e partir em silêncio, por amor ao reino, esperando o instante em que Deus se pronuncia! Entretanto, Pedro, ninguém se edificará, sem conhecer essa virtude de saber renunciar com alegria, em obediência à vontade de Deus, no momento oportuno, compreendendo a sublimidade de seus desígnios. Por essa razão, os discípulos necessitam aprender a partir e a esperar aonde as determinações de Deus os conduzam, porque a edificação do Reino do Céu no coração dos homens deve constituir a preocupação primeira, a aspiração mais nobre da alma, as esperanças centrais do Espírito!...".

Ainda não havia anoitecido. Jesus, porém, dava por concluídas as suas explicações, enquanto as mãos calosas do Apóstolo passavam, de leve, sobre os seus olhos úmidos.

~

Dando o testemunho real de seus ensinamentos, o Cristo soube ser, em todas as circunstâncias, o Amigo fiel e dedicado.

Nas elucidações de João, vemo-lo a exclamar: "Já não vos chamo servos, porque o servo não sabe o que faz o seu senhor; tenho-vos chamado amigos, porque vos revelei tudo quanto ouvi de meu Pai!" E, na narrativa de Lucas, ouvimo-lo dizer, antes da hora extrema: "Tenho desejado ansiosamente comer convosco esta Páscoa, antes da minha Paixão".

Ninguém no mundo já conseguiu elevar, à altura em que o Senhor as colocou, a beleza e a amplitude dos elos afetivos, mesmo porque a sua obra inteira é a de reunir, pelo amor, todas as nações e todos os homens, no círculo divino da família universal; mas também por demonstrar que o Reino de Deus deve constituir a preocupação primeira das almas, ninguém como Ele soube retirar-se das posições, no instante oportuno, em obediência aos desígnios divinos. Depois da magnífica vitória da entrada em Jerusalém, é traído por um dos discípulos amados; negam-no os seus seguidores e companheiros; suas ideias são tidas como perversoras e revolucionárias; é acusado como bandido e feiticeiro; sua morte passa por ser a de um ladrão.

Jesus, entretanto, ensina às criaturas, nessa hora suprema, a excelsa virtude de retirar-se com a solidão dos homens, mas com a proteção de Deus. Ele, que transformara toda a Galileia numa fonte divina; que se levantara com desassombro contra as hipocrisias do farisaísmo do tempo; que desapontara os cambistas, no próprio templo de Jerusalém, como advogado enérgico e superior de todas as grandes causas da Verdade e do bem, passa, no dia do Calvário, em espetáculo para o povo, com a alma num maravilhoso e profundo silêncio. Sem proferir a mais leve acusação, caminha humilde, coroado de espinhos, sustendo nas mãos uma cana imunda à guisa de cetro, vestindo a túnica da ironia, sob as cusparadas dos populares exaltados, de faces sangrentas e passos vacilantes, sob o peso da cruz, vilipendiado, sem articular uma queixa.

No momento do Calvário, Jesus atravessa as ruas de Jerusalém, como se estivesse diante da Humanidade inteira, ensinando a virtude da renúncia por amor do Reino de Deus, revelando por essa a sua derradeira lição.

~ 13 ~
Pecado e punição

Jesus havia terminado uma de suas pregações na praça pública, quando percebeu que a multidão se movimentava em alvoroço. Alguns populares mais exaltados prorrompiam em gritos, enquanto uma mulher ofegante, cabelos desgrenhados e faces macilentas, se aproximava dele, com uma súplica de proteção a lhe sair dos olhos tristes. Os muitos judeus ali aglomerados excitavam o ânimo geral, reclamando o apedrejamento da pecadora, na conformidade das antigas tradições.

Solicitado, então, a se constituir juiz dos costumes do povo, o Mestre exclamou com serenidade e desassombro, causando estupefação aos que o ouviram:

— Aquele que estiver sem pecado atire a primeira pedra!

Por toda a assembleia se fez sentir uma surpresa inquietante. As acusações morreram nos lábios mais exaltados. A multidão ensimesmava-se, para compreender a sua própria situação. Enquanto isso, o Mestre punha-se a escrever no solo despreocupadamente.

Aos poucos, o local ficara quase deserto. Apenas Jesus e alguns discípulos lá se conservavam, tendo ao lado a mulher a ocultar as faces com as mãos.

Em dado instante, o Mestre Divino ergueu a fronte e perguntou à infeliz:

— Mulher, onde estão os teus juízes?

Observando que a pecadora lhe respondia apenas com o olhar reconhecido, onde as lágrimas aljofravam[23] num misto de agradecimento e alegria, Jesus continuou:

— Ninguém te condenou? Também eu não te condeno. Vai, e não peques mais.

A infeliz criatura retirou-se, experimentando uma sensação nova no espírito. A generosidade do Messias lhe iluminava o coração, em claridades vivas que lhe banhavam a alma toda. Mas, enquanto a pecadora se retirava, presa de intensa alegria, os poucos discípulos que se encontravam junto do Senhor não conseguiam ocultar a estranheza que lhes causara o seu gesto. Por que não condenara Ele aquela mulher de vida censurável aos olhos de todos? Não se tratava de uma adúltera? Nesse ínterim, João se aproximou e interrogou:

— Mestre, por que não condenastes a meretriz de vida infame?

Jesus fixou no discípulo o olhar calmo e bondoso e redarguiu:

— Quais as razões que aduzes em favor dessa condenação? Sabes o motivo por que essa pobre mulher se prostituiu? Terás sofrido alguma vez a dureza das vicissitudes que ela atravessou em sua vida? Ignoras o vulto das necessidades e das tentações que a fizeram sucumbir a meio do caminho. Não sabes quantas vezes tem sido ela objeto do escárnio dos pais, dos filhos e dos irmãos das mulheres mais felizes. Não seria justo agravar-lhe os padecimentos infernais da consciência pesarosa e sem rumo.

— Entretanto — exclamou João, defendendo os princípios da lei antiga —, ela pecou e fez jus à punição. Não está escrito que os homens pagarão, ceitil por ceitil, os seus próprios erros?

---

[23] N.E.: Aljofrar — orvalhar.

O Mestre sorriu sem se perturbar e esclareceu:

— Ninguém pode contestar que ela tenha pecado; quem estará irrepreensível na face da Terra? Há sacerdotes da lei, magistrados e filósofos, que prostituíram suas almas por mais baixo preço; contudo, ainda não lhes vi os acusadores. A hipocrisia costuma campear impune, enquanto se atiram pedras ao sofrimento. João, o mundo está cheio de túmulos caiados. Deus, porém, é o Pai de Bondade Infinita que aguarda os filhos pródigos em sua casa. Poder-se-ia desejar para a pecadora humilde tormento maior do que aquele a que ela própria se condenou por tempo indeterminado? Quantas vezes lhe tem faltado pão à boca faminta ou a manifestação de um carinho sincero à alma angustiada? Raras dores no mundo serão idênticas às agonias de suas noites silenciosas e tristes. Esse o seu doloroso inferno, sua aflitiva condenação. É que, em todos os planos da vida, o instituto da Justiça Divina funciona, naturalmente, com seus princípios de compensação.

"Cada ser traz consigo a fagulha sagrada do Criador e erige, dentro de si, o santuário de sua presença ou a muralha sombria da negação, mas só a luz e o bem são eternos e, um dia, todos os redutos do mal cairão, para que Deus resplandeça no espírito de seus filhos. Não é para ensinar outra coisa que está escrito na lei — 'Vós sois deuses!'. Porventura, não sabes que a herança de um pai se divide entre os filhos em partes iguais? As criaturas transviadas são as que não souberam entrar na posse de seu quinhão divino, permutando-o pela satisfação de seus caprichos no desregramento ou no abuso, na egolatria ou no crime, pagando alto preço pelas suas decisões voluntárias. Examinada a situação por esse prisma, temos de reconhecer no mundo uma vasta escola de regeneração, onde todas as criaturas se reabilitam da traição aos seus próprios deveres. A Terra, portanto, pode ser tida como um grande hospital, em que o pecado é a doença de todos; o Evangelho, no entanto, traz ao homem enfermo o remédio eficaz, para que todas as estradas se transformem em suave caminho de redenção.

"É por isso que não condeno o pecador para afastar o pecado e, em todas as situações, prefiro acreditar sempre no bem. Quando observares, João, os seres mais tristes e miseráveis, arrastando-se numa noite pejada de sombra e desolação, lembra-te da semente grosseira que encerra um gérmen divino e que um dia se elevará do seio da terra para o beijo de luz do sol".

Terminada a explicação do Mestre, o filho de Zebedeu, deixando transparecer na luz do olhar a sua profunda admiração, pôs-se a meditar nos ensinamentos recebidos.

~

Muito tempo ainda não transcorrera depois desse acontecimento, quando Jesus subiu de Cafarnaum para Jerusalém, acompanhado por alguns de seus discípulos. Celebravam-se festas tradicionais entre os judeus. O Messias chegou num sábado, sob a fiscalização severa dos espíritos rigoristas de sua época. Não foram poucos os paralíticos que o cercaram, ansiosos pelo benefício de sua virtude salvadora. Escandalizando os fanáticos, o Mestre curava e consolava, na sua jornada de gloriosa redenção. Explicando que o sábado fora feito para o homem e não o homem para o sábado, enfrentava sorridente as preocupações dos mais exigentes. Vendo tantos cegos e aleijados aglomerados à passagem, Tiago o interpelou:

— Mestre, sendo Deus tão misericordioso, por que pune seus filhos com defeitos e moléstias tão horríveis?...

— Acreditas, Tiago — respondeu Jesus —, que Deus desça de sua sabedoria e de seu amor para punir seus próprios filhos? O Pai tem o seu plano determinado com respeito à Criação inteira; mas, dentro desse plano, a cada criatura cabe uma parte na edificação, pela qual terá de responder. Abandonando o trabalho divino, para viver ao sabor dos caprichos próprios, a alma cria para si a situação correspondente, trabalhando para reintegrar-se no plano divino, depois de se haver deixado levar pelas sugestões funestas, contrárias à sua própria paz.

João compreendeu que a Palavra do Messias era a confirmação dos ensinamentos que já ouvira de seus lábios, na tarde em que a multidão exigia o apedrejamento da pecadora.

Afastaram-se, em seguida, do Tanque de Betsaida, cujas águas eram tidas, em Jerusalém, na conta de miraculosas e onde o Mestre fizera andar paralíticos, dera vista a cegos e limpara leprosos. Na companhia de Tiago e João, o Senhor encaminhou-se para o templo, onde um dos paralíticos que Ele havia curado relatava o acontecido, cheio de sincera alegria. Jesus aproximou-se dele e, deixando entrever aos seus discípulos que desejava confirmar os ensinamentos sobre pecado e punição, falou-lhe abertamente, como se lê no texto evangélico de João: — Eis que estás são. Não peques mais, para que te não suceda coisa pior.

~

Desde que esses ensinos foram dados, novas ideias de fraternidade povoaram o mundo, com respeito aos transviados, aos criminosos e aos inimigos, atingindo a própria organização política dos Estados.

O Império Romano vulgarizara os mais nefandos processos de regeneração ou de vingança. Escravos ignorantes eram pasto das feras, nos divertimentos públicos, pelas faltas mais insignificantes nas casas dos patrícios. Só de uma vez, trinta mil desses servos, a quem se negava qualquer bem do Espírito, foram crucificados numa festa, próximo aos soberbos aquedutos da Via Ápia. Os açoites humilhantes eram castigo suave.

Entretanto, desde a tarde em que Jesus se encontrou com a pecadora diante da multidão, um pensamento novo entrou a dominar aos poucos o espírito do mundo. A substância evangélica do ensino inolvidável penetrou o aparelho judiciário de todos os povos. A sociedade começou a compreender suas obrigações e procurou segregar o criminoso, como se isola um doente, buscando auxiliar-lhe a reforma definitiva, por todos os meios ao seu alcance. Os menores delinquentes foram amparados pelas numerosas escolas de regeneração. Todo o sistema da justiça humana evoluiu para os princípios da magnanimidade, e os juízes modernos, lavrando suas sentenças, sem nunca haverem manuseado o Novo Testamento, talvez ignorem que procedem assim por ter sido Jesus o grande reformador da criminologia.

~ 14 ~
A lição a Nicodemos

Em face dos novos ensinamentos de Jesus, todos os fariseus do templo se tomavam de inexcedíveis cuidados, pelo seu extremado apego aos textos antigos. O Mestre, porém, nunca perdeu ensejo de esclarecer as situações mais difíceis com a luz da Verdade que a sua palavra divina trazia ao pensamento do mundo. Grande número de doutores não conseguia ocultar o seu descontentamento, porque, não obstante suas atividades derrotistas, continuavam as ações generosas de Jesus, beneficiando os aflitos e os sofredores. Discutiam-se os novos princípios, no grande templo de Jerusalém, nas suas praças públicas e nas sinagogas. Os mais humildes e pobres viam no Messias o Emissário de Deus, cujas mãos repartiam em abundância os bens da paz e da consolação. As personalidades importantes temiam-no.

É que o Profeta não se deixava seduzir pelas grandes promessas que lhe faziam com referência ao seu futuro material. Jamais temperava a sua palavra de Verdade com as conveniências do comodismo da época. Apesar de magnânimo para com todas as faltas alheias, combatia o mal com tão intenso ardor, que para logo se fazia objeto de hostilidade para todas as intenções inconfessáveis. Mormente em Jerusalém que, com o seu cosmopolitismo, era um expressivo retrato do mundo, as ideias do Senhor acendiam as mais apaixonadas discussões. Eram populares que se entregavam à apologia franca da doutrina de Jesus, servos que o sentiam com todo o calor do coração reconhecido, sacerdotes que o combatiam abertamente, convencionalistas que não o toleravam, indivíduos abastados que se insurgiam contra os seus ensinos.

Todavia, sem embargo das dissensões naturais que precedem o estabelecimento definitivo das ideias novas, alguns Espíritos acompanhavam o Messias, tomados de vivo interesse pelos seus elevados princípios. Entre estes, figurava Nicodemos, fariseu notável pelo coração bem formado e pelos dotes da inteligência. Assim, uma noite, ao cabo de grandes preocupações e longos raciocínios, procurou a Jesus, em particular, seduzido pela magnanimidade de suas ações e pela grandeza de sua doutrina salvadora. O Messias estava acompanhado apenas de dois dos seus discípulos e recebeu a visita com a sua bondade costumeira.

Após a saudação habitual e revelando as suas ânsias de conhecimento, depois de fundas meditações, Nicodemos dirigiu-se-lhe respeitoso:

— Mestre, bem sabemos que vindes de Deus, pois somente com a luz da assistência divina poderíeis realizar o que tendes efetuado, mostrando o sinal do Céu em vossas mãos. Tenho empregado a minha existência em interpretar a lei, mas desejava receber a vossa palavra sobre os recursos de que deverei lançar mão para conhecer o Reino de Deus!

O Mestre sorriu bondosamente e esclareceu:

— Primeiro que tudo, Nicodemos, não basta que tenhas vivido a interpretar a lei. Antes de raciocinar sobre as suas disposições, deverias ter-lhe sentido os textos. Mas, em verdade, devo dizer-te que ninguém conhecerá o Reino do Céu, sem nascer de novo.

— Como pode um homem nascer de novo, sendo velho? — interrogou o fariseu, altamente surpreendido. — Poderá, porventura, regressar ao ventre de sua mãe?

O Messias fixou nele os olhos calmos, consciente da gravidade do assunto em foco, e acrescentou:

— Em verdade, reafirmo-te ser indispensável que o homem nasça e renasça, para conhecer plenamente a luz do reino!...

— Entretanto, como pode isso ser? — perguntou Nicodemos, perturbado.

— És mestre em Israel e ignoras estas coisas? — inquiriu Jesus, como que surpreendido. — É natural que cada um somente testifique aquilo de que saiba; porém, precisamos considerar que tu ensinas. Apesar disso, não aceitas os nossos testemunhos. Se falando eu de coisas terrenas sentes dificuldades em compreendê-las com os teus raciocínios sobre a lei, como poderás aceitar as minhas afirmativas quando eu disser das coisas celestiais? Seria loucura destinar os alimentos apropriados a um velho para o organismo frágil de uma criança.

Extremamente confundido, retirou-se o fariseu, ficando André e Tiago empenhados em obter do Messias o necessário esclarecimento, acerca daquela lição nova.

~

Jerusalém quase dormia sob o véu espesso da noite alta. Silêncio profundo se fizera sobre a cidade. Jesus, no entanto, e aqueles dois discípulos continuavam presos à conversação particular que haviam entabulado. Desejavam eles ardentemente penetrar o sentido oculto das palavras do Mestre. Como seria possível aquele renascimento? Não obstante os seus conhecimentos, também partilhavam da perplexidade que levara Nicodemos a se retirar fundamente surpreendido.

— Por que tamanha admiração, em face destas verdades? — perguntou-lhes Jesus, bondosamente. — As árvores não renascem depois de podadas? Com respeito aos homens, o processo é diferente, mas o espírito de renovação é sempre o mesmo. O corpo é uma veste. O homem é seu dono. Toda roupagem material acaba rota, porém, o homem, que é filho de Deus, encontra sempre em seu amor os elementos necessários à mudança do vestuário. A morte do corpo é essa mudança indispensável, porque a alma caminhará sempre, por meio de outras experiências, até que consiga a imprescindível provisão de luz para a estrada definitiva no Reino de Deus, com toda a perfeição conquistada ao longo dos rudes caminhos.

André sentiu que uma nova compreensão lhe felicitava o espírito simples e perguntou:

— Mestre, já que o corpo é como que a roupa material das almas, por que não somos todos iguais no mundo? Vejo belos jovens, junto de aleijados e paralíticos...

— Acaso não tenho ensinado — disse Jesus — que tem de chorar todo aquele que se transforma em instrumento de escândalo? Cada alma conduz consigo mesma o inferno ou o Céu que edificou no âmago da consciência. Seria justo conceder-se uma segunda veste mais perfeita e mais bela ao Espírito rebelde que estragou a primeira? Que diríamos da sabedoria de nosso Pai, se facultasse as possibilidades mais preciosas aos que as utilizaram na véspera para o roubo, o assassínio, a destruição? Os que abusaram da túnica da riqueza vestirão depois as dos fâmulos e escravos mais humildes, como as mãos que feriram podem vir a ser cortadas.

— Senhor, compreendo agora o mecanismo do resgate — murmurou Tiago, externando a alegria do seu entendimento. — Mas observo que, desse modo, o mundo precisará sempre do clima do escândalo e do sofrimento, desde que o devedor, para saldar seu débito, não poderá fazê-lo sem que outro lhe tome o lugar com a mesma dívida.

O Mestre apreendeu a amplitude da objeção e esclareceu aos discípulos, perguntando:

— Dentro da lei de Moisés, como se verifica o processo da redenção?

Tiago meditou um instante e respondeu:

— Também na lei está escrito que o homem pagará "olho por olho, dente por dente".

— Também tu, Tiago, estás procedendo como Nicodemos — replicou Jesus com generoso sorriso. — Como todos os homens, aliás, tens raciocinado, mas não tens sentido. Ainda não ponderaste, talvez, que o primeiro mandamento da Lei é uma determinação de amor. Acima do "não adulterarás", do "não cobiçarás", está o "amar a Deus sobre todas as coisas, de todo o coração e de todo o entendimento". Como poderá alguém amar o Pai, aborrecendo-lhe a obra? Contudo, não estranho a exiguidade de visão espiritual com que examinaste o texto dos profetas. Todas as criaturas hão feito o mesmo. Investigando as revelações do Céu com o egoísmo que lhes é próprio, organizaram a justiça como o edifício mais alto do idealismo humano. E, entretanto, coloco o amor acima da justiça do mundo e tenho ensinado que só ele cobre a multidão dos pecados. Se nos prendemos à lei de talião, somos obrigados a reconhecer que onde existe um assassino haverá, mais tarde, um homem que necessita ser assassinado; com a lei do amor, porém, compreendemos que o verdugo e a vítima são dois irmãos, filhos de um mesmo Pai. Basta que ambos sintam isso para que a fraternidade divina afaste os fantasmas do escândalo e do sofrimento.

~

Ante as elucidações do Mestre, os dois discípulos estavam maravilhados. Aquela lição profunda esclarecia-os para sempre.

Tiago, então, aproximou-se e sugeriu a Jesus que proclamasse aquelas verdades novas na pregação do dia seguinte. O Mestre dirigiu-lhe um olhar de admiração e interrogou:

— Será que não compreendeste? Pois, se um doutor da lei saiu daqui sem que eu lhe pudesse explicar toda a Verdade, como queres que proceda de modo contrário, para com a compreensão simplista do espírito popular? Alguém constrói uma casa iniciando pelo teto o trabalho? Além disso, mandarei mais tarde o Consolador, a fim de esclarecer e dilatar os meus ensinos.

Eminentemente impressionados, André e Tiago calaram as derradeiras interrogações. Aquela palestra particular, entre o Senhor e os discípulos, permaneceria guardada na sombra leve da noite em Jerusalém, mas a lição a Nicodemos estava dada. A lei da reencarnação estava proclamada para sempre, no Evangelho do reino.

~ 15 ~
Joana de Cusa

Entre a multidão que invariavelmente acompanhava a Jesus nas pregações do lago, achava-se sempre uma mulher de rara dedicação e nobre caráter, das mais altamente colocadas na sociedade de Cafarnaum. Tratava-se de Joana, consorte de Cusa, intendente de Ântipas, na cidade onde se conjugavam interesses vitais de comerciantes e de pescadores.

Joana possuía verdadeira fé; entretanto, não conseguia forrar-se às amarguras domésticas, porque seu companheiro de lutas não aceitava as claridades do Evangelho. Considerando seus dissabores íntimos, a nobre dama procurou o Messias, numa ocasião em que Ele descansava em casa de Simão, e lhe expôs a longa série de suas contrariedades e padecimentos. O esposo não tolerava a doutrina do Mestre. Alto funcionário de Herodes, em perene contato com os representantes do Império, repartia as suas preferências religiosas, ora com os interesses da comunidade judaica, ora com os deuses romanos, o que lhe permitia viver em tranquilidade fácil e rendosa. Joana confessou ao Mestre os seus temores, suas lutas e desgostos no ambiente doméstico, expondo suas amarguras em face das divergências religiosas existentes entre ela e o companheiro.

Após ouvir-lhe a longa exposição, Jesus lhe ponderou:

— Joana, só há um Deus, que é o nosso Pai, e só existe uma fé para as nossas relações com o seu amor. Certas manifestações religiosas, no mundo, muitas vezes não passam de vícios populares nos hábitos exteriores. Todos os templos da Terra são de pedra; eu venho, em nome de Deus, abrir o templo da fé viva no coração dos homens. Entre o sincero discípulo do Evangelho e os erros milenários do mundo, começa a travar-se o combate sem sangue da redenção espiritual. Agradece ao Pai o haver-te julgado digna do bom trabalho, desde agora. Teu esposo não te compreende a alma sensível? Compreender-te-á um dia. É leviano e indiferente? Ama-o, mesmo assim. Não te acharias ligada a ele se não houvesse para isso razão justa. Servindo-o com amorosa dedicação, estarás cumprindo a vontade de Deus. Fala-me de teus receios e de tuas dúvidas. Deves, pelo Evangelho, amá-lo ainda mais. Os sãos não precisam de médico. Além disso, não poderemos colher uvas nos abrolhos, mas podemos amanhar o solo que produziu cardos envenenados, a fim de cultivarmos nele mesmo a videira maravilhosa do amor e da vida.

Joana deixava entrever no brilho suave dos olhos a íntima satisfação que aqueles esclarecimentos lhe causavam; mas, patenteando todo o seu estado da alma, interrogou:

— Mestre, vossa palavra me alivia o espírito atormentado; entretanto, sinto dificuldade extrema para um entendimento recíproco no ambiente do meu lar. Não julgais acertado que lute por impor os vossos princípios? Agindo assim, não estarei reformando o meu esposo para o Céu e para o vosso reino?

O Cristo sorriu serenamente e retrucou:

— Quem sentirá mais dificuldade em estender as mãos fraternas, será o que atingiu as margens seguras do conhecimento com o Pai, ou aquele que ainda se debate entre as ondas da ignorância ou da desolação, da inconstância ou da indolência do Espírito? Quanto à imposição das ideias — continuou Jesus, acentuando a importância de suas palavras —, por que motivo Deus não impõe a sua Verdade e o seu amor aos tiranos da Terra? Por que não fulmina com um raio o conquistador desalmado que espalha a miséria e a destruição, com as forças sinistras da guerra? A sabedoria celeste não extermina as paixões: transforma-as. Aquele que semeou o mundo de cadáveres desperta, às vezes, para Deus, apenas com uma lágrima. O Pai não impõe a reforma a seus filhos: esclarece-os no momento oportuno. Joana, o apostolado do Evangelho é o de colaboração com o Céu, nos grandes princípios da redenção. Sê fiel a Deus, amando o teu companheiro do mundo, como se fora teu filho. Não percas tempo em discutir o que não seja razoável. Deus não trava contendas com as suas criaturas e trabalha em silêncio, por toda a Criação. Vai!... Esforça-te também no silêncio e, quando convocada ao esclarecimento, fala o verbo doce ou enérgico da salvação, segundo as circunstâncias! Volta ao lar e ama o teu companheiro como o material divino que o Céu colocou em tuas mãos para que talhes uma obra de vida, sabedoria e amor!...

Joana de Cusa experimentava um brando alívio no coração. Enviando a Jesus um olhar de carinhoso agradecimento, ainda lhe ouviu as últimas palavras:

— Vai, filha!... Sê fiel!

~

Desde esse dia, memorável para a sua existência, a mulher de Cusa experimentou na alma a claridade constante de uma resignação sempre pronta ao bom trabalho e sempre ativa para a compreensão de Deus. Como se o ensinamento do Mestre estivesse agora gravado indelevelmente em sua alma, considerou que, antes de ser esposa na Terra, já era filha daquele Pai que, do Céu, lhe conhecia a generosidade e os sacrifícios. Seu espírito divisou em todos os labores uma luz sagrada e oculta. Procurou esquecer todas as características inferiores do companheiro, para observar somente o que possuía ele de bom, desenvolvendo, nas menores oportunidades, o embrião vacilante de suas virtudes eternas. Mais tarde, o Céu lhe enviou um filhinho, que veio duplicar os seus trabalhos; ela, porém, sem olvidar as recomendações de fidelidade que Jesus lhe havia feito, transformava suas dores num hino de triunfo silencioso em cada dia.

Os anos passaram e o esforço perseverante lhe multiplicou os bens da fé, na marcha laboriosa do conhecimento e da vida. As perseguições políticas desabaram sobre a existência do seu companheiro. Joana, contudo, se mantinha firme. Torturado pelas ideias odiosas de vingança, pelas dívidas insolváveis, pelas vaidades feridas, pelas moléstias que lhe verminaram o corpo, o ex-intendente de Ântipas voltou ao plano espiritual, numa noite de sombras tempestuosas. Sua esposa, todavia, suportou os dissabores mais amargos, fiel aos seus ideais divinos edificados na confiança sincera. Premida pelas necessidades mais duras, a nobre dama de Cafarnaum procurou trabalho para se manter com o filhinho que Deus lhe confiara. Algumas amigas lhe chamaram a atenção, tomadas de respeito humano. Joana, no entanto, buscou esclarecê-las, alegando que Jesus igualmente havia trabalhado, calejando as mãos nos serrotes de modesta carpintaria e que, submetendo-se ela a uma situação de subalternidade no mundo, se dedicara primeiramente ao Cristo, de quem se havia feito escrava devotada.

    Cheia de alegria sincera, a viúva de Cusa esqueceu o conforto da nobreza material, dedicou-se aos filhos de outras mães, ocupou-se com os mais subalternos afazeres domésticos, para que seu filhinho tivesse pão. Mais tarde, quando a neve das experiências do mundo lhe alvejou os primeiros anéis da fronte, uma galera romana a conduzia em seu bojo, na qualidade de serva humilde.

No ano 68, quando as perseguições ao Cristianismo iam intensas, vamos encontrar, num dos espetáculos sucessivos do circo, uma velha discípula do Senhor amarrada ao poste do martírio, ao lado de um homem novo, que era seu filho.

Ante o vozerio do povo, foram ordenadas as primeiras flagelações.

— Abjura!... — exclama um executor das ordens imperiais, de olhar cruel e sombrio.

A antiga discípula do Senhor contempla o céu, sem uma palavra de negação ou de queixa. Então o açoite vibra sobre o rapaz seminu, que exclama, entre lágrimas: "Repudia Jesus, minha mãe!... Não vês que nos perdemos?! Abjura!... Abjura por mim, que sou teu filho!...".

Pela primeira vez, dos olhos da mártir corre a fonte abundante das lágrimas. As rogativas do filho são espadas de angústia que lhe retalham o coração.

— Abjura!... Abjura!

Joana ouve aqueles gritos, recordando a existência inteira. O lar risonho e festivo, as horas de ventura, os desgostos domésticos, as emoções maternais, os fracassos do esposo, sua desesperação e sua morte, a viuvez, a desolação e as necessidades mais duras... Em seguida, ante os apelos desesperados do filhinho, recordou que Maria também fora mãe e, vendo o seu Jesus crucificado no madeiro da infâmia, soubera conformar-se com os desígnios divinos. Acima de todas as recordações, como alegria suprema de sua vida, pareceu-lhe ouvir ainda o Mestre, em casa de Pedro, a lhe dizer: "Vai, filha! Sê fiel!" Então, possuída de força sobre-humana, a viúva de Cusa contemplou a primeira vítima ensanguentada e, fixando no jovem um olhar profundo e inexprimível, na sua dor e na sua ternura, exclamou firmemente:

— Cala-te, meu filho! Jesus era puro e não desdenhou o sacrifício. Saibamos sofrer na hora dolorosa, porque, acima de todas as felicidades transitórias do mundo, é preciso ser fiel a Deus!

A esse tempo, com os aplausos delirantes do povo, os verdugos lhe incendiavam, em derredor, achas de lenha embebidas em resina inflamável. Em poucos instantes, as labaredas lamberam-lhe o corpo envelhecido. Joana de Cusa contemplou com serenidade a massa de povo que lhe não entendia o sacrifício. Os gemidos de dor lhe morriam abafados no peito opresso. Os algozes da mártir cercaram-lhe de impropérios a fogueira:

— O teu Cristo soube apenas ensinar-te a morrer? — perguntou um dos verdugos.

A velha discípula, concentrando a sua capacidade de resistência, teve ainda forças para murmurar:

— Não apenas a morrer, mas também a vos amar!...

Nesse instante, sentiu que a mão consoladora do Mestre lhe tocava suavemente os ombros, e lhe escutou a voz carinhosa e inesquecível:

— Joana, tem bom ânimo!... Eu aqui estou!...

~ 16 ~
O testemunho de Tomé

Conta a narrativa de Marcos que, voltando Jesus de uma das suas excursões, se encaminhou para o território de Dalmanuta, onde vários fariseus se puseram a discutir com ele, para experimentá-lo. Entremostrando a dor que lhe causava a incompreensão ambiente, o Mestre exclamou com a sua energia serena: "Por que pede esta geração um sinal do Céu?"

Era frequente buscarem o Messias com a preocupação exclusiva do maravilhoso. Alguns exigiam os milagres mais extravagantes, no ar, no firmamento, nas águas. Jesus não afirmava ser o Filho de Deus?!... No exercício do seu ministério, não expulsara Espíritos malignos, não curara paralíticos e leprosos? Os fariseus, principalmente, eram os que desejavam crer nos ensinamentos novos, mas, dentro das normas do velho egoísmo humano, reclamavam prévias compensações do sobrenatural ao apoio do dia seguinte.

De todos os discípulos, era Tomé o que mais se preocupava com a dilatação, que lhe parecia necessária, da zona de influenciação do Senhor junto dos homens considerados mais importantes e mais ricos. Não raro, insistia com Jesus para que atendesse às exigências dos fariseus bem aquinhoados de autoridade e de riqueza.

Naquele dia de breve repouso em Dalmanuta, o Mestre descansava na choupana de um velho pescador por nome Zacarias, quando o discípulo surgiu inesperadamente, reclamando-lhe a atenção nestes termos:

— Senhor, numerosos homens de importância estão na localidade e desejam o sinal de vossa missão divina!

Reparando que Jesus guardara silêncio, Tomé continuou a falar, desejoso de acender entusiasmo em torno do seu alvitre.

— São altos funcionários de Herodes, em companhia de doutores de Jerusalém, que excursionam por estas paragens... Além disso, estão acompanhados de patrícios romanos, interessados em conhecer o lago e as suas aldeias mais influentes. Esses viajantes ilustres fizeram-me portador de um convite atencioso e amável, pois vos esperam em casa do centurião Cornélio Cimbro!...

Jesus, entretanto, depois de longo silêncio, no qual pareceu examinar detidamente a atitude mental do interlocutor, perguntou com serenidade, mas em tom algo doloroso:

— Que desejam de mim?

— Querem conhecer-vos, Mestre! — replicou o Apóstolo, mais confortado.

— Não é necessário que me vejam a mim, mas que sintam a verdade que trago de nosso Pai — redarguiu Jesus, com tranquila firmeza.

Deixando transparecer o desgosto que aquela resposta lhe causava, Tomé insistiu:

— Mestre, Mestre, atendei-os!... Que será do Evangelho do reino e de nós mesmos, sem o apoio dos influentes e prestigiosos? Acreditais na vitória sem o amparo das energias que dominam o mundo? Mostrai-vos a esses homens, revelai-lhes o vosso poder divino, pois, ademais, eles apenas desejam conhecer-vos de perto!...

— Tomé — exclamou o Senhor, com energia —, Deus não exige que os homens o conheçam senão no santuário do perfeito conhecimento de si mesmos. Eu venho de meu Pai e tenho de ensinar as suas verdades divinas. Nunca reclamei dos meus discípulos as suas homenagens pessoais, apenas tenho recomendado a todos que se amem, reciprocamente, ao longo da vida!

E, desfazendo as ponderações descabidas do discípulo, continuou:

— Julgas, então, que o Evangelho do reino seja uma causa dos homens perecíveis? Se assim fosse, as nossas verdades seriam tão mesquinhas como as edificações precárias do mundo, destinadas à renovação pela morte, nos eternos caminhos do tempo. Os patrícios romanos e os doutores de Jerusalém não terão de entregar a alma a Deus, algum dia? Quem será, desse modo, o mais forte e poderoso: Deus, que é o Pai de sabedoria infinita, na eternidade de sua glória, ou um césar romano, que terá de rolar do seu trono enfeitado de púrpura, para o pó tenebroso da sepultura?!

Tomé escutava-o, surpreso e entristecido; todavia, com o propósito de se justificar, acrescentou comovido:

— Mestre, compreendo as vossas observações divinas; no entanto, esses forasteiros desejavam apenas um sinal de Deus nos céus.

— Mas, se são incapazes de perceber a presença do nosso Pai, como poderão reconhecer-lhe um simples sinal? — perguntou Jesus, com todo o vigor da sua convicção. — Os pais humanos sabem que sem o seu esforço, ou sem a generosa cooperação de alguém que os substitua, à frente da família, não seria possível o desenvolvimento de seus filhos, no que se refere à assistência material; contudo, os homens do mundo encontram a casa edificada da Natureza, com a exatidão de suas leis, e timbram sempre em negar a assistência da Providência Divina. Vai, Tomé, e dize-lhes que o Evangelho do reino não se destina aos que se encontrem satisfeitos e confortados na Terra; destina-se justamente aos corações que aspiram a uma vida melhor!

Ante a firmeza das elucidações, o Apóstolo não mais insistiu. Ainda, porém, interrogou, hesitante:

— Mestre, qual será então a nossa senha? Como provar às criaturas que o nosso esforço está com Deus?

— Uma só lágrima, que console e esclareça um coração atormentado — explicou Jesus —, vale mais do que um sinal imenso no céu, destinado tão somente a impressionar os miseráveis sentidos da criatura. A nossa senha, Tomé, é a nossa própria exemplificação, na humildade e no trabalho. Quando quiseres esclarecer o espírito de alguém, nunca lhe mostres que sabes alguma coisa; sofre, porém, com as suas dores e colherás resultado. A redenção consiste em amar intensamente. Se interessas por um amigo, suporta os seus infortúnios e imperfeições, anda em sua companhia nos dias amargos e dolorosos! O nosso sinal é o do amor que eleva e santifica, porque só ele tem a luz que atravessa os grandes abismos. Vai e não descreias, porque não triunfaremos no mundo somente pelo que fizermos, mas também pelo que deixarmos de fazer, no âmbito das suas falsas grandezas!...

~

Desde esse dia, o Apóstolo Tomé reformou a sua concepção sobre as mensagens do Céu, no capítulo dos milagres; entretanto, não conseguia escapar a pequeninas indecisões em matéria de fé. Não podia excluir de sua imaginação o desejo de uma vitória ampla e fácil do Evangelho, pela renovação imediata do mundo.

Dentro em pouco, porém, a onda das perseguições vinha desfazer a suave e divina ventura. O Mestre fora preso. Com exceção de João, que se conservara junto de sua mãe, todos os discípulos se afastaram espavoridos.

Também ele não resistiu às grandes vacilações do triste momento. Debandara. Todavia, depois, sentira o coração pungido de remorsos acerbos. Almejava contemplar o Mestre querido, ouvir, se possível, pela última vez, uma palavra de exprobração dos seus lábios divinos. Disfarçando-se, então, de maneira a tornar-se irreconhecível, a fim de se livrar das iras da multidão, incorporou-se, nas ruas movimentadas, ao ruidoso cortejo. Seu coração batia acelerado. Rompeu a massa popular e aproximou-se do Messias, que caminhava sob a cruz a passos vacilantes, seguido de perto pelos soldados que o protegiam contra os ataques da plebe. Sentiu que uma grande angústia lhe dilacerava as fibras mais delicadas da alma. Contudo, seguiu sempre, até que o madeiro se ergueu, exibindo o sentenciado sob os raios do sol claro, no topo de uma colina, como para apresentar o espetáculo às vistas do mundo inteiro.

Tomé contemplou fixamente o Mestre e notou que o espírito se lhe mantinha firme. Sua fisionomia serena, não obstante o martírio daquela hora, não refletia senão o amor profundo que lhe conhecera nos dias mais lindos e mais tranquilos. Seus pés, que tanto haviam caminhado para a semeadura do bem, estavam ensanguentados. Suas mãos generosas e acariciadoras eram duas rosas vermelhas, gotejando o sangue do suplício. Sua fronte, em que se haviam abrigado os pensamentos mais puros do mundo, se mostrava aureolada de espinhos.

Tomé se pôs a chorar discretamente; logo, porém, como se o olhar do Mestre o buscasse, entre os milhares de criaturas reunidas, observou que Jesus o fitara e, magnetizado pela sua feição divina, avançou, hesitante. Desejava escutar daqueles lábios adorados a reprovação franca e sincera que merecia o seu condenável procedimento, fugindo ao testemunho da hora extrema. Aproximou-se ofegante da cruz e, deixando perceber que apenas cedia a uma necessidade espiritual naquele instante supremo, ouviu Jesus dizer-lhe em voz quase imperceptível:

— Tomé, no Evangelho do reino, o sinal do Céu tem de ser o completo sacrifício de nós mesmos!...

O Apóstolo compreendeu-lhe as palavras e chorou amargamente.

~

Não obstante a advertência do Messias, feita do cimo da cruz da humilhação e do sofrimento, o discípulo continuava naquela atitude que se caracterizava por dúvidas quase invencíveis. Considerava o Cristo a mais alta figura da Humanidade, tratando-se do amor que ilumina as estradas escabrosas da vida material; mas, no que se referia ao raciocínio, Tomé mantinha certas restrições. Sua alma se deixava empolgar por inúmeras indecisões, quando a notícia fulgurante da ressurreição estalou em Jerusalém, por entre vivas manifestações de alegria.

Maria de Magdala, Pedro, João, bem como outros companheiros, tinham visto o Senhor, tinham-lhe escutado a palavra consoladora e divina. Incerto de si mesmo, quase vencido na sua escassa fé, o discípulo procurou os amigos diletos, ansiando pela manifestação do Mestre Adorado. Reunida a pequena comunidade, depois das preces habituais, Jesus penetrou na sala humilde com sereno sorriso, desejando aos companheiros paz e bom ânimo, como nos dias venturosos e risonhos da Galileia. Tomé, sentindo o coração bater-lhe precipitado, ergueu os olhos. O Senhor, percebendo-lhe os pensamentos mais ocultos, aproximou-se do discípulo de fé vacilante e o convidou a tocar-lhe as chagas. Depois de pronunciar as palavras que as narrativas apostólicas registraram, acrescentou bondosamente: "Tomé, põe a tua mão nas minhas chagas e não te esqueças de que é o sinal!...".

Então, a razão fria do Apóstolo notou que um clarão novo o invadia e lhe penetrava a alma. Compreendeu finalmente que o martírio do coração que ama se reveste de misterioso poder.

Tocado pela humildade do Mestre redivivo, prosternou-se e chorou. Suas lágrimas eram de ventura e lhe proporcionavam ao espírito um júbilo, cujo preço torna todos os tronos da Terra miseráveis e pequeninos. Sua alma acabava de vencer uma grande batalha. O coração triunfara do cérebro, o sentimento lhe acrisolara a fé.

~ 17 ~
Jesus na Samaria

Descendo Jesus, de Jerusalém para Cafarnaum, seguido de alguns dos discípulos, nas suas habituais jornadas a pé, alcançou a Samaria, quando o crepúsculo já se fazia mais sombrio.

Filipe, André e Tiago, estando com muita fome, deixaram o Mestre a repousar junto de uma pequena herdade e demandaram o lugarejo mais próximo, em busca de alimentos.

O Messias, olhando em torno de si, reconheceu que se encontrava ao lado da fonte de Jacó. Envolvida nos revérberos do sol que ia ceder lugar às sombras da noite que se aproximavam, uma mulher acercou-se do antigo poço e observou que o Mestre lhe ia ao encontro, com a bela e costumeira placidez do seu semblante, e lhe pedia de beber.

— Como, sendo tu judeu, me pedes um favor a mim, que sou samaritana? — interrogou surpreendida.

Jesus descansou na interlocutora o olhar tranquilo e redarguiu:

— Os judeus e samaritanos terão, porventura, necessidades diversas entre si? Bem se vê que não conheces os dons de Deus, porquanto, se houvesses guardado os mandamentos divinos, compreenderias que te posso dar da água viva.

— Que vem a ser essa água viva? — inquiriu a samaritana impressionada. — Onde a tens, se a água aqui existente é apenas a deste poço?! Acaso serias maior do que o nosso pai Jacó que no-lo deu desde o princípio?

— Mulher, a água viva é aquela que sacia toda sede; vem do amor infinito de Deus e santifica as criaturas.

E, envolvendo a samaritana no doce magnetismo de seu olhar, continuou:

— Este poço de Jacó secará um dia. No leito de terra, onde agora repousam suas águas claras, a serpente poderá fazer seu ninho. Não sentes a verdade de minhas afirmativas, ante a tua sede de todos os dias? Não obstante levares cheio o cântaro, voltarás logo mais ao poço, com uma nova sede. Entretanto, os que beberem da água viva estarão eternamente saciados. Para esses não mais haverá a necessidade material que se renova a cada instante da vida. Perene conforto lhes refrescará os corações, pelos caminhos mais acidentados, sob o sol ardente dos desertos do mundo!...

A mulher escutava, presa de funda impressão, aquelas palavras que lhe chegavam ao santuário do espírito, com a solenidade de uma nova revelação.

— Senhor, dá-me dessa água! — exclamou interessada.

— Mas ouve! — disse-lhe Jesus. E o Mestre passou a esclarecê-la sobre fatos e circunstâncias íntimas de sua vida particular, explicando-lhe o que se fazia necessário para que a sagrada emoção do amor divino lhe iluminasse a alma, afastando-a de todas as necessidades penosas da existência material.

Observando que não havia segredos para Jesus, a samaritana chorou e respondeu:

— Senhor, agora vejo que és de fato um profeta de Deus. Meu espírito está cheio de boa vontade e, desde muito, penso na melhor maneira de purificar minha vida e santificar os meus atos. Entretanto, é tal a confusão que observo em torno de mim, que não sei como adorar a Deus. Os meus familiares e vizinhos afirmam que é indispensável celebrar o culto ao Todo-Poderoso neste monte; os judeus nos combatem e asseveram que nenhuma cerimônia terá valor fora dos muros de Jerusalém. As discórdias nesta região têm chegado ao cúmulo. Ainda há pouco tempo, um judeu feriu um dos nossos, por causa das suas opiniões acerca da comida impura. Já que tenho a felicidade de ouvir as tuas palavras, ensina-me o melhor caminho.

O Mestre observou-a, compadecido, e exclamou:

— Tens razão. As divergências religiosas têm implantado a maior desunião entre os membros da grande família humana. Entretanto, o Pastor vem ao redil para reunir as ovelhas que os lobos dispersaram. Em verdade, afirmo-te que virá um tempo em que não se adorará a Deus nem neste monte, nem no templo suntuoso de Jerusalém, porque o Pai é Espírito e só em espírito deve ser adorado. Por isso, venho abrir o templo dos corações sinceros para que todo culto a Deus se converta em íntima comunhão entre o homem e o seu Criador!

Suave silêncio se fez entre ambos. Enquanto Jesus parecia sondar o invisível com o seu luminoso olhar, a samaritana meditava.

~

Daí a alguns instantes, acompanhados de grande número de populares, chegavam os discípulos, admirando-se todos de encontrarem o Messias em conversação íntima com uma mulher. Nenhum deles, todavia, aventurou qualquer observação menos digna ou imprudente. Observando que o Messias se preparava para retirar-se em busca da aldeia mais próxima, a samaritana, eminentemente impressionada com as suas revelações, solicitou a presença de todos os seus familiares e vizinhos, a fim de que o conhecessem e lhe ouvissem a palavra.

Tiago e André haviam trazido pão e algumas frutas e insistiam com Jesus para que se alimentasse. O Mestre, porém, aproveitou o instante para mais uma vez ensinar o caminho do reino, com as suas palavras amigas, compondo parábolas singelas. Muita gente se aglomerara para ouvi-lo. Eram viajantes que demandavam regiões diferentes, a par de grande grupo de samaritanos de opiniões exaltadas. A enorme assembleia se pôs a caminho, mas o Messias continuou espalhando as suas promessas de esperança e de consolação.

Nesse ínterim, Filipe consultou os companheiros e, aproximando-se de Jesus, rogou-lhe carinhosamente:

— Mestre, por favor, aceitai um pouco de pão! É indispensável cuidardes do sustento! Descansai e comei!...

— Não te preocupes, Filipe — disse o Messias, com reconhecimento —, não tenho fome. Aliás, recebo um alimento que talvez os meus próprios discípulos ainda não puderam conhecer.

— Qual? — atalhou o Apóstolo, com interesse.

— Antes de tudo, meu alimento é fazer a vontade daquele Pai misericordioso e justo que a este mundo me enviou, a fim de ensinar o seu amor e a sua verdade. Meu sustento é realizar a sua obra.

— É verdade — observou o discípulo, olhando a multidão que os acompanhava —, vedes melhor os corações e não podemos perder esta oportunidade de divulgação da Boa-Nova. Levaremos para Cafarnaum mais este triunfo, porque é incontestável que obtivestes aqui, entre os samaritanos, um dos nossos maiores êxitos!...

Tiago e André ouviam, silenciosos, o diálogo.

Às palavras entusiásticas do Apóstolo, o Mestre sorriu e acrescentou:

— Não é isso propriamente o que me interessa. O êxito mundano pode ser uma ondulação de superfície. O de que necessitamos, em todas as situações, é entender o que o Pai deseja de nós. Como todo o seu anelo é o do bem, eu trabalho, mas sem me prender ao anseio das vitórias imediatas.

E, dirigindo o olhar para a turba compacta de seus seguidores, exclamou para os companheiros:

— Acaso poderemos admitir que já somos compreendidos? Calemo-nos por alguns instantes, a fim de ouvirmos a opinião dos que nos seguem os passos.

Fez-se silêncio entre Ele e os três discípulos, de modo que podiam ouvir distintamente os diálogos travados entre os que os acompanhavam.

— Acreditas que seja este homem o Cristo prometido? — perguntava um samaritano de boa figura aos seus amigos. — De minha parte, não aceito semelhante impostura. Este Nazareno é um explorador da piedade popular.

— É certo — concordava o interpelado —, mesmo porque, em sua terra, não chega a valer um denário. Pelos próprios parentes é tido como inimigo do trabalho e há quem duvide da sua preguiçosa cabeça.

— É um louco de boa aparência — dizia uma mulher idosa para a filha —, pelo menos essa é a opinião que já ouvi de habitantes de Cafarnaum; entretanto, cá para mim, acredito seja um grande velhaco. Por que se meteu com pescadores, quando alega ser tão sábio? Por que não se transfere para Jerusalém, ou mesmo para o Tiberíades? Bem sabe a razão disso. Lá encontraria homens cultos que lhe confundiriam a presunção.

Mais próximo de Jesus, um rapaz sentenciava em voz discreta:

— Quando chegamos, foi Ele achado sozinho com uma mulher. Que te parece esta circunstância? — perguntava a um companheiro de caminhada.

— Certamente desejava salvá-la a seu modo... — replicou com malicioso riso o inquirido.

Num grupo vizinho, falava-se acaloradamente:

— Este homem é um espertalhão orgulhoso — dizia, convicto, um velhote —, só faz milagres junto das grandes multidões, para que sintam virtudes sobrenaturais nas suas mágicas.

— E não tem caridade — acrescentou outro —, pois ainda há pouco tempo, quando o procuraram em Cafarnaum para um sinal do Céu, fugiu para o monte, sob o pretexto de fazer orações.
A noite começava a cair de todo. No alto já brilhavam as primeiras estrelas. Jesus sentou-se com os discípulos, à margem do caminho, para um momento de repouso.

~

André, Tiago e Filipe estavam espantados com o que tinham visto e ouvido. Aparentemente, o Mestre fora aureolado de imenso êxito; entretanto, verificaram a profunda incompreensão do povo. Foi então que Jesus, com a serenidade de todos os instantes, os esclareceu cheio da sua bondade imperturbável:
— Não vos admireis da lição deste dia. Quando veio, o Batista procurou o deserto, nutrindo-se de mel selvagem. Os homens alegaram que em sua companhia estava o espírito de Satanás. A mim, pelo motivo de participar das alegrias do Evangelho, chamam-me glutão e beberrão. Esta é a imagem do campo onde temos de operar. Por toda parte encontraremos samaritanos discutidores, atentos aos êxitos e referências do mundo. Observai a estrada para não cairdes, porque o discípulo do Evangelho não se pode preocupar senão com a vontade de Deus, com o seu trabalho sob as vistas do Pai e com a aprovação da sua consciência.

~ 18 ~
A oração dominical

Curada pelo Mestre Divino, a sogra de Simão Pedro ficara maravilhada com os poderes ocultos do Nazareno humilde, que falava em nome de Deus, enlaçando os corações com a sua fé profunda e ardente. Restabelecida em sua saúde, passou a reflexionar mais atentamente acerca do Pai que está nos céus, sempre pronto a atender às súplicas dos filhos. Chamando certo dia o genro para um exame detido do assunto, consultou-o sobre a possibilidade de pedirem a Jesus favores excepcionais para a sua família. Lembrava-lhe a circunstância de ser o Mestre um emissário poderoso do Reino de Deus que parecia muito próximo. Concitava-o a ponderar ao Messias que eles eram dos seus primeiros colaboradores sinceros e a enumerar-lhe as necessidades prementes da família, a exiguidade do dinheiro, o peso dos serviços domésticos, a casa pobre de recursos, situação a que as imensas possibilidades de Jesus, cheio de poderes prodigiosos, seriam capazes de remediar.

O pescador simples e generoso, tentado em seus sentimentos humanos, examinou aquelas observações destinadas a lhe abrir os olhos com referência ao futuro. Entretanto, refletiu que Jesus era Mestre e nunca desprezava qualquer ensejo de bem ensinar o que era realmente proveitoso aos discípulos. Acaso, não saberia ele o melhor caminho? Não viam em sua presença alguma coisa da própria presença de Deus? Guardando, contudo, indeciso o espírito, em face das ponderações familiares, buscou uma oportunidade de falar com o Messias acerca do assunto.

~

Chegada que foi a ocasião, o Apóstolo procurou provocar muito de leve a solução do problema, perguntando a Jesus, com a sua sinceridade ingênua:

— Mestre, será que Deus nos ouve todas as orações?

— Como não, Pedro? — respondeu Jesus solicitamente.

— Desde que começou a raciocinar, observou o homem que, acima de seus poderes reduzidos, havia um poder ilimitado, que lhe criara o ambiente da vida. Todas as criaturas nascem com tendência para o mais alto e experimentam a necessidade de comungar com esse plano elevado, donde o Pai nos acompanha com o seu amor, todo justiça e sabedoria, onde as preces dos homens o procuram sob nomes diversos. Acreditarias, Simão, que, em todos os séculos da vida humana, recorreriam as almas, incessantemente, a uma porta silenciosa e inflexível, se nenhum resultado obtivessem?... Não tenhas dúvida: todas as nossas orações são ouvidas!...

— No entanto — exclamou respeitoso o discípulo —, se Deus ouve as súplicas de todos os seres, por que tamanhas diferenças na sorte? Por que razão sou obrigado a pescar para prover à subsistência, quando Levi ganha bom salário no serviço dos impostos, com a sabedoria dos livros? Como explicar que Joana disponha de servas numerosas, quando minha mulher é obrigada a plantar e cuidar da nossa horta?

Jesus ouviu atento essas suas palavras e retrucou:

— Pedro, precisamos não esquecer que o mundo pertence a Deus e que todos somos seus servidores. Os trabalhos variam, conforme a capacidade do nosso esforço. Hoje pescas, amanhã pregarás a palavra divina do Evangelho. Todo trabalho honesto é de Deus. Quem escreve com a sabedoria dos pergaminhos não é maior do que aquele que traça a leira laboriosa e fértil, com a sabedoria da terra. O escriba sincero, que cuida dos dispositivos da lei, é irmão do lavrador bem-intencionado que cuida do sustento da vida. Um, cultiva as flores do pensamento; outros, as do trigal que o Pai protege e abençoa. Achas que uma casa estaria completa sem as mãos abnegadas que lhe varrem os detritos? Se todos os filhos de Deus se dispusessem a cobrar impostos, quem os pagaria? Vês, portanto, que, antes de qualquer consideração, é preciso santificar todo trabalho útil, como quem sabe que o mundo é morada de Deus.

"Já pensaste que, se a tua esposa cuida das plantas de tua horta, Joana de Cusa educa as suas servas?! A qual das duas cabe responsabilidade maior, à tua mulher que cultiva os legumes, ou à nossa irmã que tem algumas filhas de Deus sob sua proteção? Quem poderá garantir que Joana terá essa responsabilidade por toda a vida? No mundo, há grandes generais que, apesar das suas vitórias, passam também pelas duras experiências de seus soldados. Assim, Pedro, precisamos considerar, em definitivo, que somos filhos e servos de Deus, antes de qualquer outro título convencional, dentro da vida humana. Necessário é, pois, que disponhamos o nosso coração a bem servi-lo, seja como rei ou como escravo, certos de que o Pai nos conhece a todos e nos conduz ao trabalho ou à posição que mereçamos".

O discípulo ouviu aquelas explicações judiciosas e, confortado com os esclarecimentos recebidos, interrogou:

— Mestre, como deveremos interpretar a oração?

— Em tudo — elucidou Jesus — deve a oração constituir o nosso recurso permanente de comunhão ininterrupta com Deus.

Nesse intercâmbio incessante, as criaturas devem apresentar ao Pai, no segredo das íntimas aspirações, os seus anelos e esperanças, dúvidas e amargores. Essas confidências lhes atenuarão os cansaços do mundo, restaurando-lhes as energias, porque Deus lhes concederá de sua luz. É necessário, portanto, cultivar a prece, para que ela se torne um elemento natural da vida, como a respiração. É indispensável conheçamos o meio seguro de nos identificarmos com o nosso Pai.

Entretanto, Pedro, observamos que os homens não se lembram do Céu, senão nos dias de incerteza e angústia do coração. Se a ameaça é cruel e iminente o desastre, se a morte do corpo é irremediável, os mais fortes dobram os joelhos. Mas quanto não deverá sentir-se o Pai amoroso e leal de que somente o procurem os filhos nos momentos do infortúnio, por eles criados com as suas próprias mãos? Em face do relaxamento dessas relações sagradas, por parte dos homens, indiferentes ao carinho paternal da Providência que tudo lhes concede de útil e agradável, improficuamente desejará o filho uma solução imediata para as suas necessidades e problemas, sem remediar ao longo afastamento em que se conservou do Pai no percurso, postergando-lhe os desígnios, respeito às suas questões íntimas e profundas.

Simão Pedro ouvia o Mestre com uma compreensão nova. Não podia apreender a amplitude daqueles conceitos que transcendiam o âmbito da educação que recebera, mas procurava perceber o alcance daquelas elucidações, a fim de cultivar o intercâmbio perfeito com o Pai sábio e amoroso, cuja assistência generosa Jesus lhe revelara, dentro da luz dos seus divinos ensinamentos.

~

Decorridos alguns dias, estando o Mestre a ensinar aos companheiros uma nova lição referente ao impulso natural da prece, Simão lhe observou:

— Senhor, tenho procurado, por todos os modos, manter inalterável a minha comunhão com Deus, mas não tenho alcançado o objetivo de minhas súplicas.

— E o que tens pedido a Deus? — interrogou o Mestre, sem se perturbar.

— Tenho implorado à sua bondade que aplaine os meus caminhos, com a solução de certos problemas materiais.

Jesus contemplou longamente o discípulo, como se examinasse a fragilidade dos elementos intelectuais de que podia dispor para a realização da obra evangélica. Contudo, evidenciando mais uma vez o seu profundo amor e boa vontade, esclareceu com brandura e convicção:

— Pedro, enquanto orares pedindo ao Pai a satisfação de teus desejos e caprichos, é possível te retirares da prece inquieto e desalentado. Mas sempre que solicitares as bênçãos de Deus, a fim de compreenderes a sua vontade justa e sábia a teu respeito, receberás pela oração os bens divinos do consolo e da paz.

O Apóstolo guardou silêncio, demonstrando haver, afinal, compreendido. Um dos filhos de Alfeu, porém, reconhecendo que o assunto interessava sobremaneira à pequena comunidade ali reunida, adiantou-se para Jesus, pedindo:

— Senhor, ensina-nos a orar!...

Dispondo-os então em círculo e como se mergulhasse o pensamento num invisível oceano de luz, o Messias pronunciou, pela primeira vez, a oração que legaria à Humanidade.

Elevando o seu espírito magnânimo ao Pai Celestial e colocando o seu amor acima de todas as coisas, exclamou:

— Pai nosso, que estás nos céus, santificado seja o teu nome.
— E, ponderando que a redenção da criatura nunca se poderá efetuar sem a misericórdia do Criador, considerada a imensa bagagem das imperfeições humanas, continuou: — Venha a nós o teu reino. — Dando a entender que a vontade de Deus, amorosa e justa, deve cumprir-se em todas as circunstâncias, acrescentou:

— Seja feita a tua vontade, assim na Terra como nos céus. — Esclarecendo que todas as possibilidades de saúde, trabalho e experiência chegam invariavelmente, para os homens, da fonte sagrada da proteção divina, prosseguiu: — O pão nosso de cada dia dá-nos hoje. — Mostrando que as criaturas estão sempre sob a ação da lei de compensações e que cada uma precisa desvencilhar-se das penosas algemas do passado obscuro pela exemplificação sublime do amor, acentuou: — Perdoa-nos as nossas dívidas, assim como nós perdoamos aos nossos devedores. — Conhecedor, porém, das fragilidades humanas, para estabelecer o princípio da luta eterna dos cristãos contra o mal, terminou a sua oração, dizendo com infinita simplicidade: — Não nos deixes cair em tentação e livra-nos de todo mal, porque teus são o reino, o poder e glória para sempre. Assim seja.

Levi, o mais intelectual dos discípulos, tomou nota das sagradas palavras, para que a prece do Senhor fosse guardada em seus corações humildes e simples. A rogativa de Jesus continha, em síntese, todo o programa de esforço e edificação do Cristianismo nascente. Desde aquele dia memorável, a oração singela de Jesus se espalhou como um perfume dos céus pelo mundo inteiro.

~ 19 ~
# Comunhão com Deus

As elucidações do Mestre, relativamente à oração, sempre encontravam nos discípulos certa perplexidade, quase que invariavelmente em virtude das ideias novas que continham, acerca da concepção de Deus como Pai carinhoso e amigo. Aquela necessidade de comunhão com o seu amor, que Jesus não se cansava de salientar, lhes aparecia como problema obscuro, que o homem do mundo não conseguiria realizar.

A esse tempo, os essênios constituíam um agrupamento de estudiosos das ciências da alma, caracterizando as suas atividades de modo diferente, porque sem públicas manifestações de seus princípios. Desejoso de satisfazer à curiosidade própria, João procurou conhecer-lhes, de perto, os pontos de vista, em matéria das relações da comunidade com Deus e, certo dia, procurou o Senhor, de modo a ouvi-lo mais amplamente sobre as dúvidas que lhe atormentavam o coração:

— Mestre — disse ele, solícito —, tenho desejado sinceramente compreender os meus deveres atinentes à oração, mas sinto que minha alma está tomada de certas hesitações. Anseio por esta comunhão perene com o Pai; todavia, as ideias mais antagônicas se opõem aos meus desejos. Ainda agora, manifestando meu pensamento, acerca de minhas necessidades espirituais, a um amigo que se instrui com os essênios, asseverou-me ele que necessito compreender que toda edificação espiritual se deve processar num plano oculto. Mas suas observações me confundiram ainda mais. Como poderei entender isso? Devo, então, ocultar o que haja de mais santo em meu coração?

O Messias, arrancado de suas meditações, respondeu com brandura:

— João, todas as dúvidas que te assaltam se verificam pelo motivo de não haveres compreendido, até agora, que cada criatura tem um santuário no próprio espírito, em que a sabedoria e o amor de Deus se manifestam, por intermédio das vozes da consciência. Os essênios levam muito longe a teoria do labor oculto, pois, antes de tudo, precisamos considerar que a Verdade e o bem devem ser patrimônio de toda a Humanidade em comum. No entanto, o que é indispensável é saber dar a cada criatura de acordo com as suas necessidades próprias. Nesse ponto, estão muito certos quanto ao zelo que os caracteriza, porque os unguentos reservados a um ferido não se ofertam ao faminto que precisa de pão. Também eu tenho afirmado que não poderei ensinar tudo o que desejara aos meus discípulos, sendo compelido a reservar outras lições do Evangelho do reino para o futuro, quando a magnanimidade divina permitir que a voz do Consolador se faça ouvir entre os homens sequiosos de conhecimento. Não tens observado o número de vezes em que necessito recorrer a parábolas para que a revelação não ofusque o entendimento geral? No que se refere à comunhão de nossas almas com Deus, não me esqueci de recomendar que cada espírito ore no segredo do seu íntimo, no silêncio de suas esperanças e aspirações mais sagradas. É que cada criatura deve estabelecer o seu próprio caminho para mais alto, erguendo em si mesma o santuário divino da fé e da confiança, onde interprete sempre a vontade de Deus, com respeito ao seu destino. A comunhão da criatura com o Criador é, portanto, um imperativo da existência e a prece é o luminoso caminho entre o coração humano e o Pai de infinita Bondade.

~

O Apóstolo escutou as observações do Mestre, parecendo meditar austeramente. Entretanto, obtemperou:
— Mas a oração deve ser louvor ou súplica?
Ao que Jesus respondeu com bondade:
— Por prece devemos interpretar todo ato de relação entre o homem e Deus. Devido a isso mesmo, como expressão de agradecimento ou de rogativa, a oração é sempre um esforço da criatura em face da Providência Divina. Os que apenas suplicam podem ser ignorantes, os que louvam podem ser somente preguiçosos. Todo aquele, porém, que trabalha pelo bem, com as suas mãos e com o seu pensamento, esse é o filho que aprendeu a orar, na exaltação ou na rogativa, porque em todas as circunstâncias será fiel a Deus, consciente de que a vontade do Pai é mais justa e sábia do que a sua própria.
— E como ser leal a Deus, na oração? — interrogou o Apóstolo, evidenciando as suas dificuldades intelectuais. — A prece já não representa em si mesma um sinal de confiança?
Jesus contemplou-o com a sua serenidade imperturbável e retrucou:
— Será que também tu não entendes? Não obstante a confiança expressa na oração e a fé tributada à providência superior, é preciso colocar acima delas a certeza de que os desígnios celestiais são mais sábios e misericordiosos do que o capricho próprio; é necessário que cada um se una ao Pai, comungando com a sua vontade generosa e justa, ainda que seja contrariado em determinadas ocasiões. Em suma, é imprescindível que

sejamos de Deus. Quanto às lições dessa fidelidade, observemos a própria Natureza, em suas manifestações mais simples. Dentro dela, agem as Leis de Deus e devemos reconhecer que todas essas leis correspondem à sua amorosa sabedoria, constituindo-se suas servas fiéis, no trabalho universal. Já ouviste falar, alguma vez, que o Sol se afastou do céu, cansado da paisagem escura da Terra, alegando a necessidade de repousar? A pretexto de indispensável repouso, teriam as águas privado o globo de seus benefícios, em certos anos? Por desagradável que seja em suas características, a tempestade jamais deixou de limpar as atmosferas. Apesar das lamentações dos que não suportam a umidade, a chuva não deixa de fecundar a terra! João, é preciso aprender com as Leis da Natureza a fidelidade a Deus! Quem as acompanha, no mundo, planta e colhe com abundância. Observar a lealdade para com o Pai é semear e atingir as mais formosas searas da alma no Infinito! Vê, pois, que todo o problema da oração está em edificarmos o Reino do Céu entre os sentimentos de nosso íntimo, compreendendo que os atributos divinos se encontram também em nós.

O Apóstolo guardou aqueles esclarecimentos, cheio de boa vontade no sentido de alcançar a sua perfeita compreensão.

— Mestre — confessou, respeitoso —, vossas elucidações abrem uma estrada nova para minha alma; contudo, eu vos peço, com a sinceridade da minha afeição, me ensineis, na primeira oportunidade, como deverei entender que Deus está igualmente em nós.

O Messias fixou nele o olhar translúcido e, deixando perceber que não poderia ser mais explícito com o recurso das palavras, disse apenas:

— Eu to prometo.

~

A conversação que vimos de narrar verificara-se nas cercanias de Jerusalém, numa das ausências eventuais do Mestre do círculo bem-amado de sua família espiritual em Cafarnaum.

No dia seguinte, Jesus e João demandaram Jericó, a fim de atender ao programa de viagem organizado pelo primeiro.

Na excursão a pé, ambos se entretinham em admirar as poucas belezas do caminho, escassamente favorecido pela Natureza. A paisagem era árida e as árvores existentes apresentavam as frondes recurvadas, entremostrando a pobreza da região, que não lhes incentivava o desenvolvimento.

Não longe de uma pequena herdade, o Mestre e o Apóstolo encontraram um rude lavrador, cavando grande poço à beira do caminho. Bagas de suor lhe desciam da fronte; mas seus braços fortes iam e vinham à terra, na ânsia de procurar o líquido precioso.

Ante aquele quadro, Jesus estacionou com o discípulo, a pretexto de breve descanso, e, revelando o interesse que aquele esforço lhe despertava, perguntou ao trabalhador:

— Amigo, que fazes?

— Busco a água que nos falta — redarguiu com um sorriso o interpelado.

— A chuva é assim tão escassa nestas paragens? — tornou Jesus, evidenciando afetuoso cuidado.

— Sim, nas proximidades de Jericó, ultimamente, a chuva se vem tornando uma verdadeira graça de Deus.

O homem do campo prosseguiu no seu trabalho exaustivo; mas, apontando para ele, o Messias disse a João, em tom amigo:

— Este quadro da Natureza é bastante singelo; porém, é na simplicidade que encontramos os símbolos mais puros. Observa, João, que este homem compreende que sem a chuva não haveria mananciais na Terra, mas não para em seu esforço, procurando o reservatório que a Providência Divina armazenou no subsolo. A imagem é pálida; todavia, chega para compreenderes como Deus reside também em nós. Dentro do símbolo, temos de entender a chuva como o favor de sua misericórdia, sem o qual nada possuiríamos. Esta paisagem deserta de Jericó pode representar a alma humana, vazia de sentimentos santificadores. Este trabalhador simboliza o cristão ativo, cavando junto dos caminhos áridos, muitas vezes com sacrifício, suor e lágrimas, para encontrar a Luz Divina em seu coração. E a água é o símbolo mais perfeito da essência de Deus, que tanto está nos céus, como na Terra.

O discípulo guardou aquelas palavras, sabendo que realizara uma aquisição de claridades imorredouras. Contemplou o grande poço, onde a água clara começava a surgir, depois de imenso esforço do humilde trabalhador que a procurava desde muitos dias, e teve nítida compreensão do que constituía a necessária comunhão com Deus. Experimentando indefinível júbilo no coração, tomou das mãos do Messias e as osculou,[24] com a alegria do seu espírito alvoroçado. Confortado, como alguém que vencera grande combate íntimo, João sentiu que finalmente compreendera.

---

[24] N.E.: Beijou.

~ 20 ~
Maria de Magdala

Maria de Magdala ouvira as pregações do Evangelho do reino, não longe da vila principesca onde vivia entregue a prazeres, em companhia de patrícios romanos, e tomara-se de admiração profunda pelo Messias.

Que novo amor era aquele apregoado aos pescadores singelos por lábios tão divinos? Até ali, caminhara ela sobre as rosas rubras do desejo, embriagando-se com o vinho de condenáveis alegrias. Contudo, seu coração estava sequioso e em desalento. Jovem e formosa, emancipara-se dos preconceitos férreos de sua raça; sua beleza lhe escravizara aos caprichos de mulher os mais ardentes admiradores; mas seu espírito tinha fome de amor. O Profeta nazareno havia plantado em sua alma novos pensamentos. Depois que lhe ouvira a palavra, observou que as facilidades da vida lhe traziam agora um tédio mortal ao espírito sensível. As músicas voluptuosas não encontravam eco em seu íntimo, os enfeites romanos de sua habitação se tornaram áridos e tristes. Maria chorou longamente, embora não compreendesse ainda o que pleiteava o profeta desconhecido. Entretanto, seu convite amoroso parecia ressoar-lhe nas fibras mais sensíveis de mulher. Jesus chamava os homens para uma vida nova.

Decorrida uma noite de grandes meditações e antes do famoso banquete em Naim, onde ela ungiria publicamente os pés de Jesus com os bálsamos perfumados de seu afeto, notou-se que uma barca tranquila conduzia a pecadora a Cafarnaum. Dispusera-se a procurar o Messias, após muitas hesitações. Como a receberia o Senhor, na residência de Simão? Seus conterrâneos nunca lhe haviam perdoado o abandono do lar e a vida de aventuras. Para todos, era ela a mulher perdida, que teria de encontrar a lapidação na praça pública. Sua consciência, porém, lhe pedia que fosse. Jesus tratava a multidão com especial carinho. Jamais lhe observara qualquer expressão de desprezo para com as numerosas mulheres de vida equívoca que o cercavam. Além disso, sentia-se seduzida pela sua generosidade. Se possível, desejaria trabalhar na execução de suas ideias puras e redentoras. Propunha-se a amar, como Jesus amava, sentir com os seus sentimentos sublimes. Se necessário, saberia renunciar a tudo. Que lhe valiam as joias, as flores raras, os banquetes suntuosos, se, ao fim de tudo isso, conservava a sua sede de amor?!...

Envolvida por esses pensamentos profundos, Maria de Magdala penetrou o umbral da humilde residência de Simão Pedro, onde Jesus parecia esperá-la, tal a bondade com que a recebeu num grande sorriso. A recém-chegada sentou-se com indefinível emoção a estrangular-lhe o peito.

~

Vencendo, porém, as suas mais fortes impressões, assim falou, em voz súplice, feitas as primeiras saudações:

— Senhor, ouvi a vossa palavra consoladora e venho ao vosso encontro!... Tendes a clarividência do Céu e podeis adivinhar como tenho vivido! Sou uma filha do pecado. Todos me condenam. Entretanto, Mestre, observai como tenho sede do verdadeiro amor!... Minha existência, como todos os prazeres, tem sido estéril e amargurada...

As primeiras lágrimas lhe borbulhavam dos olhos, enquanto Jesus a contemplava, com bondade infinita. Ela, porém, continuou:

— Ouvi o vosso amoroso convite ao Evangelho! Desejava ser das vossas ovelhas, mas será que Deus me aceitaria?

O Profeta nazareno fitou-a, enternecido, sondando as profundezas de seu pensamento, e respondeu bondoso:

— Maria, levanta os olhos para o céu e regozija-te no caminho, porque escutaste a Boa-Nova do reino e Deus te abençoa as alegrias! Acaso, poderias pensar que alguém no mundo estivesse condenado ao pecado eterno? Onde, então, o amor de nosso Pai? Nunca viste a primavera dar flores sobre uma casa em ruínas? As ruínas são as criaturas humanas; porém, as flores são as esperanças em Deus. Sobre todas as falências e desventuras próprias do homem, as bênçãos paternais de Deus descem e chamam. Sentes hoje esse novo sol a iluminar-te o destino! Caminha agora, sob a sua luz, porque o amor cobre a multidão dos pecados.

A pecadora de Magdala escutava o Mestre, bebendo-lhe as palavras. Homem algum havia falado assim à sua alma incompreendida. Os mais levianos lhe pervertiam as boas inclinações, os aparentemente virtuosos a desprezavam sem piedade. Engolfada em pensamentos confortadores e ouvindo as referências de Jesus ao amor, Maria acentuou, levemente:

— No entanto, Senhor, tenho amado e tenho sede de amor!...

— Sim — redarguiu Jesus —, tua sede é real. O mundo viciou todas as fontes de redenção e é imprescindível compreenda que em suas sendas a virtude tem de marchar por uma porta muito estreita. Geralmente, um homem deseja ser bom como os outros, ou honesto como os demais, olvidando que o caminho onde todos passam é de fácil acesso e de marcha sem edificações. A virtude no mundo foi transformada na porta larga da conveniência própria. Há os que amam os que lhes pertencem ao círculo pessoal, os que são sinceros com os seus amigos, os que defendem seus familiares, os que adoram os deuses do favor. O que verdadeiramente ama, porém, conhece a renúncia suprema a todos os bens do mundo e vive feliz, na sua senda de trabalhos para o difícil acesso às luzes da redenção. O amor sincero não exige satisfações passageiras, que se extinguem no mundo com a primeira ilusão; trabalha sempre, sem amargura e sem ambição, com os júbilos do sacrifício. Só o amor que renuncia sabe caminhar para a vida suprema!...

Maria o escutava, embevecida. Ansiosa por compreender inteiramente aqueles ensinos novos, interrogou atenciosamente:

— Só o amor pelo sacrifício poderá saciar a sede do coração?

Jesus teve um gesto afirmativo e continuou:

— Somente o sacrifício contém o divino mistério da vida. Viver bem é saber imolar-se. Acreditas que o mundo pudesse manter o equilíbrio próprio tão só com os caprichos antagônicos e por vezes criminosos dos que se elevam à galeria dos triunfadores? Toda luz humana vem do coração experiente e brando dos que foram sacrificados. Um guerreiro coberto de louros ergue os seus gritos de vitória sobre os cadáveres que juncam o chão, mas apenas os que tombaram fazem bastante silêncio, para que se ouça no mundo a mensagem de Deus. O primeiro pode fazer a experiência para um dia; os segundos constroem a estrada definitiva na eternidade.

Na tua condição de mulher, já pensaste no que seria o mundo sem as mães exterminadas no silêncio e no sacrifício? Não são elas as cultivadoras do jardim da vida, onde os homens travam a batalha?!... Muitas vezes, o campo enflorescido se cobre de lama e sangue; entretanto, na sua tarefa silenciosa, os corações maternais não desesperam e reedificam o jardim da vida, imitando a Providência Divina, que espalha sobre um cemitério os lírios perfumados de seu amor!...

Maria de Magdala, ouvindo aquelas advertências, começou a chorar, a sentir no íntimo o deserto da mulher sem filhos. Por fim, exclamou:

— Desgraçada de mim, Senhor, que não poderei ser mãe!...

Então, atraindo-a brandamente a si, o Mestre acrescentou:

— E qual das mães será maior aos olhos de Deus? A que se devotou somente aos filhos de sua carne, ou a que se consagrou, pelo espírito, aos filhos das outras mães?

Aquela interrogação pareceu despertá-la para meditações mais profundas. Maria sentiu-se amparada por uma energia interior diferente, que até então desconhecera. A palavra de Jesus lhe honrava o espírito; convidava-a a ser mãe de seus irmãos em humanidade, aquinhoando-os com os bens supremos das mais elevadas virtudes da vida. Experimentando radiosa felicidade em seu mundo íntimo, contemplou o Messias com os olhos nevoados de lágrimas e, no êxtase de sua imensa alegria, murmurou comovidamente:

— Senhor, doravante renunciarei a todos os prazeres transitórios do mundo, para adquirir o amor divino que me ensinastes!... Acolherei como filhas as minhas irmãs no sofrimento, procurarei os infortunados para aliviar-lhes as feridas do coração, estarei com os aleijados e leprosos...

Nesse instante, Simão Pedro passou pelo aposento, demandando o interior, e a observou com certa estranheza. A convertida de Magdala lhe sentiu o olhar glacial, quase denotando desprezo, e, já receosa de um dia perder a convivência do Mestre, perguntou com interesse:

— Senhor, quando partirdes deste mundo, como ficaremos?

Jesus compreendeu o motivo e o alcance de sua palavra e esclareceu:

— Certamente que partirei, mas estaremos eternamente reunidos em espírito. Quanto ao futuro, com o infinito de suas perspectivas, é necessário que cada um tome sua cruz, em busca da porta estreita da redenção, colocando acima de tudo a fidelidade a Deus e, em segundo lugar, a perfeita confiança em si mesmo.

Observando que Maria, ainda opressa pelo olhar estranho de Simão Pedro, se preparava a regressar, o Mestre lhe sorriu com bondade e disse:

— Vai, Maria!... Sacrifica-te e ama sempre. Longo é o caminho, difícil a jornada, estreita a porta, mas a fé remove os obstáculos... Nada temas: é preciso crer somente!

~

Mais tarde, depois de sua gloriosa visão do Cristo ressuscitado, Maria de Magdala voltou de Jerusalém para a Galileia, seguindo os passos dos companheiros queridos.

A mensagem da ressurreição espalhara uma alegria infinita.

Após algum tempo, quando os Apóstolos e seguidores do Messias procuravam reviver o passado junto ao Tiberíades, os discípulos diretos do Senhor abandonaram a região, a serviço da Boa-Nova. Ao disporem-se os dois últimos companheiros a partir em definitivo para Jerusalém, Maria de Magdala, temendo a solidão da saudade, rogou fervorosamente lhe permitissem acompanhá-los à cidade dos profetas; ambos, no entanto, se negaram a anuir aos seus desejos. Temiam-lhe o pretérito de pecadora, não confiavam em seu coração de mulher. Maria compreendeu, mas lembrou-se do Mestre e resignou-se.

Humilde e sozinha, resistiu a todas as propostas condenáveis que a solicitavam para uma nova queda de sentimentos. Sem recursos para viver, trabalhou pela própria manutenção, em Magdala e Dalmanuta. Foi forte nas horas mais ásperas, alegre nos sofrimentos mais escabrosos, fiel a Deus nos instantes escuros e pungentes. De vez em quando, ia às sinagogas, desejosa de cultivar a lição de Jesus; mas as aldeias da Galileia estavam novamente subjugadas pela intransigência do Judaísmo. Ela compreendeu que palmilhava agora o caminho estreito, onde ia só, com a sua confiança em Jesus. Por vezes, chorava de saudade, quando passeava no silêncio da praia, recordando a presença do Messias. As aves do lago, ao crepúsculo, vinham pousar, como outrora, nas alcaparreiras mais próximas; o horizonte oferecia, como sempre, o seu banquete de luz. Ela contemplava as ondas mansas e lhes confiava suas meditações.

Certo dia, um grupo de leprosos veio a Dalmanuta. Procediam da Idumeia aqueles infelizes, cansados e tristes, em supremo abandono. Perguntavam por Jesus Nazareno, mas todas as portas se lhes fechavam. Maria foi ter com eles e, sentindo-se isolada, com amplo direito de empregar a sua liberdade, reuniu-os sob as árvores da praia e lhes transmitiu as palavras de Jesus, enchendo-lhes os corações das claridades do Evangelho. As autoridades locais, entretanto, ordenaram a expulsão imediata dos enfermos. A grande convertida percebeu tamanha alegria no semblante dos infortunados, em face de suas fraternas revelações a respeito das promessas do Senhor, que se pôs em marcha para Jerusalém, na companhia deles. Todo o grupo passou a noite ao relento, mas sentia-se que os júbilos do Reino de Deus agora os dominavam. Todos se interessavam pelas descrições de Maria, devoravam-lhe as exortações, contagiados de sua alegria e de sua fé. Chegados à cidade, foram conduzidos ao vale dos leprosos, que ficava distante, onde Madalena penetrou com espontaneidade de coração. Seu espírito recordava as lições do Messias e uma coragem indefinível se assenhoreara de sua alma.

Dali em diante, todas as tardes, a mensageira do Evangelho reunia a turba de seus novos amigos e lhes dizia o ensinamento de Jesus. Rostos ulcerados enchiam-se de alegria, olhos sombrios e tristes tocavam-se de nova luz. Maria lhes explicava que Jesus havia exemplificado o bem até a morte, ensinando que todos os seus discípulos deviam ter bom ânimo para vencer o mundo. Os agonizantes arrastavam-se até junto dela e lhe beijavam a túnica singela.

A filha de Magdala, lembrando o amor do Mestre, tomava-os em seus braços fraternos e carinhosos.

Em breve tempo, sua epiderme apresentava, igualmente, manchas violáceas e tristes. Ela compreendeu a sua nova situação e recordou a recomendação do Messias de que somente sabiam viver os que sabiam imolar-se. E experimentou grande gozo, por haver levado aos seus companheiros de dor, uma migalha de esperança. Desde a sua chegada, em todo o vale se falava daquele Reino de Deus que a criatura devia edificar no próprio coração. Os moribundos esperavam a morte com um sorriso ditoso nos lábios, os que a lepra deformara ou abatera guardavam bom ânimo, nas fibras mais sensíveis.

Sentindo-se ao termo de sua tarefa meritória, Maria de Magdala desejou rever antigas afeições de seu círculo pessoal, que se encontravam em Éfeso. Lá estavam João e Maria, além de outros companheiros dos júbilos cristãos. Adivinhava que as suas últimas dores terrestres vinham muito próximas; todavia, deliberou pôr em prática seu humilde desejo.

Nas despedidas, seus companheiros de infortúnio material vinham suplicar-lhe os derradeiros conselhos e recordações. Envolvendo-os no seu carinho, a emissária do Evangelho lhes dizia apenas:

— Jesus deseja intensamente que nos amemos uns aos outros e que participemos de suas divinas esperanças, na mais extrema lealdade a Deus!...

Dentre aqueles doentes, os que ainda se equilibravam pelos caminhos, lhe traziam o fruto das esmolas escassas e as crianças abandonadas vinham beijar-lhe as mãos.

Na fortaleza de sua fé, a ex-pecadora abandonou o vale, afastando-se de suas choupanas misérrimas, através das estradas ásperas. A peregrinação foi-lhe difícil e angustiosa. Para satisfazer aos seus intentos, recorreu à caridade, sofreu penosas humilhações, submeteu-se ao sacrifício. Observando as feridas pustulentas que substituíam sua antiga beleza, alegrava-se em reconhecer que seu espírito não tinha motivos para lamentações. Jesus a esperava e sua alma era fiel.

Realizada a sua aspiração, por entre dificuldades infinitas, Maria achou-se, um dia, às portas da cidade, mas invencível abatimento lhe dominava os centros de força física. No justo momento de suas efusões afetuosas, quando o casario de Éfeso se lhe desdobrava à vista, seu corpo alquebrado negou-se a caminhar. Uma modesta família de cristãos do subúrbio recolheu-a a uma tenda humilde, por caridade. Madalena pôde ainda rever amizades bem caras, consoante seus desejos. Entretanto, por largos dias de padecimentos, debateu-se entre a vida e a morte.

Uma noite, atingiram o auge as profundas dores que sentia. Sua alma estava iluminada por brandas reminiscências e, não obstante seus olhos se acharem selados pelas pálpebras intumescidas, via com os olhos da imaginação o lago querido, os companheiros de fé, o Mestre bem-amado. Seu Espírito parecia transpor as fronteiras da eternidade radiosa. De minuto a minuto, ouvia-se-lhe um gemido surdo, enquanto os irmãos de crença lhe rodeavam o leito de dor, com as preces sinceras de seus corações amigos e desvelados.

Em dado instante, observou-se que seu peito não mais arfava. Maria, no entanto, experimentava consoladora sensação de alívio. Sentia-se sob as árvores de Cafarnaum e esperava o Messias. As aves cantavam nos ramos próximos e as ondas sussurrantes vinham beijar-lhe os pés. Foi quando viu Jesus aproximar-se, mais belo que nunca. Seu olhar tinha o reflexo do céu e o semblante trazia um júbilo indefinível. O Mestre estendeu-lhe as mãos e ela se prosternou, exclamando, como antigamente:

— Senhor!...

Jesus recolheu-a brandamente nos braços e murmurou:

— Maria, já passaste a porta estreita!... Amaste muito! Vem! Eu te espero aqui!

~ 21 ~
A lição da vigilância

Aproximando-se o termo de sua passagem pelos caminhos da Terra, reuniu Jesus os doze discípulos, com o fim de lhes consolidar nos corações os santificados princípios de sua doutrina de redenção.

Naquele crepúsculo de ouro, por feliz coincidência, todos se achavam em Cesareia de Filipe, onde a paisagem maravilhosa descansava sob as bênçãos do Céu.

Jesus fitou serenamente os companheiros e, ao cabo de longa conversação, em que lhes falara confidencialmente dos serviços grandiosos do futuro, perguntou com afetuoso interesse:

— E que dizem os homens a meu respeito? De alguma sorte, terão compreendido a substância de minhas pregações?!...

João respondeu que seus amigos o tinham na conta de Elias,[25] que regressara ao cenário do mundo depois de se haver

---

[25] N.E.: Profeta judeu, nascido em Tisbé (850 a.C.). Realizou diversos milagres e, perseguido pela rainha Jezebel, refugiou-se no deserto, onde foi alimentado por corvos. Depois de prognosticar o extermínio da raça de

elevado ao Céu num carro flamejante; Simão, o Zelote, relatou os dizeres de alguns habitantes de Tiberíades, que acreditavam ser o Mestre o mesmo João Batista ressuscitado; Tiago, filho de Cleofas, contou o que ouvira dos judeus na Sinagoga, os quais presumiam no Senhor o profeta Jeremias.

Jesus escutou-lhes as observações com o habitual carinho e inquiriu:

— Os homens se dividem nas suas opiniões; mas vós, os que tendes comungado comigo a todos os instantes, quem dizeis que eu sou?

Certa perplexidade abalou a pequena assembleia; Simão Pedro, porém, deixando perceber que estava impulsionado por uma energia superior, exclamou, comovidamente:

— Tu és o Cristo, o Salvador, o Filho de Deus Vivo.

— Bem-aventurado sejas tu, Simão — disse-lhe Jesus, envolvendo-o num amoroso sorriso —, porque não foi a carne que te revelou estas verdades, mas meu Pai que está nos céus. Neste momento, entregaste a Deus o coração e falaste a sua voz. Bendito sejas, pois começas a edificar no espírito a fonte da fé viva. Sobre essa fé, edificarei a minha doutrina de paz e esperança, porque contra ela jamais prevalecerão os enganos desastrosos do mundo.

Enquanto Simão sorria confortado com o que considerava um triunfo espiritual, o Mestre prosseguiu, esclarecendo a comunidade quanto à revelação divina, no santuário interior do espírito do homem, sobre cuja grandeza desconhecida o Cristianismo assentaria suas bases no futuro.

~

No mesmo instante, preparando os companheiros para os acontecimentos próximos, o Messias continuou, dizendo:

Acab, confiou ao seu discípulo Eliseu o manto miraculoso que lhe permitiria praticar os mesmos prodígios e continuar a sua obra. A tradição judaica espera Elias como precursor do Messias (Ver I REIS, 18:1 a 40; DEUTERONÔMIO, 17:2 a 5; 13:13 a 16).

— Amados, importa que eu vos esclareça o coração, a fim de que as horas tormentosas que se aproximam não cheguem a vos confundir o entendimento. Por intermédio da palavra de Simão, tivestes a claridade reveladora. Cumprindo as profecias da Escritura, sou aquele Pastor que vem a Israel com o propósito de reunir as ovelhas tresmalhadas do imenso rebanho. Venho buscar as dracmas perdidas do tesouro de nosso Pai. E qual o pegureiro que não dá testemunho de sua tarefa ao dono do redil? É indispensável, pois, que eu sofra. Não tardará muito o escândalo que me há de envolver em suas malhas sombrias. Faz-se mister o cumprimento da palavra dos grandes instrutores da revelação dos céus, que me precederam no caminho!... Está escrito que eu padeça, e não fugirei ao testemunho.

Havendo pequena pausa na sua alocução, Filipe aproveitou-a para interrogar, emocionado:

— Mestre, como pode ser isso, se sois o modelo supremo da bondade? O sofrimento será, então, o prêmio às vossas obras de amor e sacrifício?

Jesus, no entanto, sem trair a serenidade do seu sentimento, retrucou:

— Vim ao mundo para o bom trabalho e não posso ter outra vontade, senão a que corresponda aos sábios desígnios daquele que me enviou. Além de tudo, minha ação se dirige aos que estão escravizados, no cativeiro do sofrimento, do pecado, da expiação. Instituindo na Terra, a luta perene contra o mal, tenho de dar o legítimo testemunho dos meus esforços. Na consideração de meus trabalhos, necessitamos ponderar que as palavras dos ensinos somente são justas, quando seladas com a plena demonstração dos valores íntimos. Acreditais que um náufrago pudesse sentir o conforto de um companheiro que apenas se limitasse a dirigir-lhe a voz amiga, lá da praia, em segurança? Para salvá-lo, será indispensável ensinar-lhe o melhor caminho de livrar-se da voragem destruidora, nunca tão só com exortações, mas atirando-se igualmente às ondas, partilhando dos mesmos perigos e sofrimentos. O fardo que sobrecarrega os ombros de um amigo será sempre mais agravado em seu peso, se nos pusermos a examiná-lo, muitas vezes guiados por observações inoportunas; ele, entretanto, se tornará suave e leve para aquele a quem amamos, se o tomarmos com os nossos esforços sinceros, ensinando-lhe como se pode atenuar-lhe o peso nas curvas do caminho.

Os Apóstolos entreolharam-se surpresos, e o Messias continuou:

— Não espereis por triunfos, que não os teremos sobre a Terra de agora. Nosso reino ainda não é, nem pode ser, deste mundo... Por essa razão, em breves dias, não obstante as minhas aparentes vitórias, entrarei em Jerusalém para sofrer as mais penosas humilhações. Os príncipes dos sacerdotes me coroarão a fronte com suprema ironia; serei arrastado pela turba como um simples ladrão! Cuspirão nas minhas faces, dar-me-ão fel e vinagre, quando manifestar sede, para que se cumpram as Escrituras; experimentarei as angústias mais dolorosas, mas sentirei, em todas as circunstâncias, o amparo daquele que me enviou!... Nos derradeiros e mais difíceis testemunhos, terei meu espírito voltado para o seu amor e conquistarei com o sofrimento a vitória sagrada, porque ensinarei aos menos fortes a passagem pela porta estreita da redenção, revelando a cada criatura que sofre o que é preciso fazer, a fim de atravessar as sendas do mundo, demandando as claridades eternas do plano espiritual.

O Mestre calou-se, comovido. A pequena assembleia deixava transparecer sua surpresa indefinível, sem compreender a amplitude das advertências divinas.

Foi aí que Simão Pedro, modificando a atitude mental do primeiro momento e deixando-se conduzir na esteira das concepções falíveis do seu sentimento de homem, aproximou-se do Messias e lhe falou em particular:

— Mestre, convém não exagerardes as vossas palavras. Não podemos acreditar que tereis de sofrer semelhantes martírios...

Onde estaria Deus, então, com a justiça dos céus? Os fatos que nos deixais entrever viriam demonstrar que o Pai não é tão justo!...
— Pedro, retira essas palavras! — exclamou Jesus, com serenidade enérgica. — Queres também tentar-me, como os adversários do Evangelho? Será que também tu não me entendes, compreendendo somente as coisas dos homens, longe das revelações de Deus?! Aparta-te de mim, pois, neste instante, falas pelo espírito do mal!...
Verificando que o pescador se emocionara até às lágrimas, o Mestre preparou-se para a retirada e disse aos companheiros:
— Se alguém quiser vir após mim, renuncie a si mesmo, tome a sua cruz e siga os meus passos.

~

No dia seguinte, a pequena comunidade se punha a caminho, vivamente impressionada com as revelações da véspera. Simão seguia humilde e cabisbaixo. Não conseguia compreender por que motivo fora Jesus tão severo para com ele. Em verdade, ponderara melhor suas expressões irrefletidas e reconhecera que o Mestre lhe perdoara, pois observava que eram sinceros o sorriso e o olhar compassivo que o envolviam numa alegria nova. Mas sem poder sopitar suas emoções, o velho discípulo aproximou-se novamente de Jesus e interrogou:
— Mestre, por que razão mandastes retirar as palavras em que vos demonstrei o meu zelo de discípulo sincero? Alguns minutos antes, não havíeis afirmado que eu trazia aos companheiros a inspiração de Deus? Por que motivo, logo após, me designáveis como intérprete dos inimigos da luz?
— Simão — respondeu o Messias, bondosamente —, ainda não aprendeste toda a extensão da necessidade de vigilância. A criatura na Terra precisa aproveitar todas as oportunidades de iluminação interior, em sua marcha para Deus. Vigia o teu espírito ao longo do caminho. Basta um pensamento de amor para que te eleves ao Céu; mas, na jornada do mundo, também basta,

às vezes, uma palavra fútil ou uma consideração menos digna para que a alma do homem seja conduzida ao campo do estacionamento e do desespero das trevas, por sua própria imprevidência! Nesse terreno, Pedro, o discípulo do Evangelho terá sempre imenso trabalho a realizar, porque, pelo Reino de Deus, é preciso resistir às tentações dos entes mais amados na Terra, os quais, embora ocupassem o nosso coração, ainda não podem entender as conquistas santificadas do Céu.

Acabando o Cristo de falar, Simão Pedro calou-se e passou a meditar.

~ 22 ~
A mulher e a ressurreição

As águas alegres do Tiberíades se aquietavam, de manso, como tocadas por uma força invisível da Natureza, quando a barca de Simão, conduzindo o Senhor, atingiu docemente a praia.

O velho Apóstolo, abandonando os remos, deixava transparecer nos traços fisionômicos as emoções contraditórias de sua alma, enquanto Jesus o observava, adivinhando-lhe os pensamentos mais recônditos.

— Que tens tu, Simão? — perguntou o Mestre, com o seu olhar penetrante e amigo.

Surpreendido com a palavra do Senhor, o velho Cefas[26] deu a perceber, por um gesto, os seus receios e as suas apreensões, como se encontrasse dificuldade em esquecer totalmente a lei

---

[26] N.E.: No primeiro encontro Jesus chamou Simão Pedro de Cefas, que significava pedra em aramaico, determinando, assim, ser ele o Apóstolo escolhido para liderar os primeiros propagadores da fé cristã pelo mundo (Ver *Mateus*, 16:18 e 19).

antiga, para penetrar os umbrais da ideia nova, no seu caminho largo de amor, de luz e de esperança.

— Mestre — respondeu com timidez —, a lei que nos rege manda lapidar a mulher que perverteu a sua existência.

Conhecendo, por antecipação, o pensamento do pescador e observando os seus escrúpulos em lhe atirar uma leve advertência, Jesus lhe respondeu com brandura:

— Quase sempre, Simão, não é a mulher que se perverte a si mesma; é o homem que lhe destrói a vida.

— Entretanto — tornou o Apóstolo, respeitosamente —, os nossos legisladores sempre ordenaram severidade e rispidez para com as decaídas. Observando os nossos costumes, Senhor, é que temo por vós, acolhendo tantas meretrizes e mulheres de má vida, nas pregações do Tiberíades...

— Nada temas por mim, Simão, porque eu venho de meu Pai e não devo ter outra vontade, a não ser a de cumprir os seus desígnios sábios e misericordiosos.

Assim falou o Mestre, cheio de bondade, e, espraiando o olhar compassivo sobre as águas, levemente encrespadas pelo beijo dos ventos do crepúsculo, continuou, num misto de energia e doçura:

— Mas ouve, Pedro! A lei antiga manda apedrejar a mulher que foi pervertida e desamparada pelos homens; entretanto, também determina que amemos os nossos semelhantes, como a nós mesmos. E o meu ensino é o cumprimento da lei, pelo amor mais sublime sobre a Terra. Poderíamos culpar a fonte, quando um animal lhe polui as águas? De acordo com a lei, devemos amar a uma e a outro, seja pela expressão de sua ignorância, seja pela de seus sofrimentos. E o homem é sempre fraco e a mulher sempre sofredora!...

O velho pescador recebia a exortação com um brilho novo nos olhos, como se fora tocado nas fibras mais íntimas do seu espírito.

— Mestre — retrucou, altamente surpreendido —, vossa palavra é a da revelação divina. Quereis dizer, então, que a mulher é superior ao homem, na sua missão terrestre?

— Uma e outro são iguais perante Deus — esclareceu o Cristo, amorosamente — e as tarefas de ambos se equilibram no caminho da vida, completando-se perfeitamente, para que haja, em todas as ocasiões, o mais santo respeito mútuo. Precisamos considerar, todavia, que a mulher recebeu a sagrada missão da vida. Tendo avançado mais do que o seu companheiro na estrada do sentimento, está, por isso, mais perto de Deus que, muitas vezes, lhe toma o coração por instrumento de suas mensagens, cheias de sabedoria e de misericórdia. Em todas as realizações humanas, há sempre o traço da ternura feminina, levantando obras imperecíveis na edificação dos Espíritos. Na história dos homens, ficam somente os nomes dos políticos, dos filósofos e dos generais; mas todos eles são filhos da grande heroína que passa, no silêncio, desconhecida de todos, muita vez dilacerada nos seus sentimentos mais íntimos ou exterminada nos sacrifícios mais pungentes, mas também Deus, Simão, passa ignorado em todas as realizações do progresso humano e nós sabemos que o ruído é próprio dos homens, enquanto o silêncio é de Deus, síntese de toda a Verdade e de todo o Amor.

"Por isso, as mulheres mais desventuradas ainda possuem no coração o gérmen divino, para a redenção da Humanidade inteira. Seu sentimento de ternura e humildade será, em todos os tempos, o grande roteiro para a iluminação do mundo, porque, sem o tesouro do sentimento, todas as obras da razão humana podem parecer como um castelo de falsos esplendores".

Simão Pedro ouvia o Mestre, tomado de profundo enlevo e santificado fervor admirativo.

— Tendes razão, Senhor! — murmurou, entre humilde e satisfeito.

— Sim, Pedro, temos razão — replicou Jesus, com bondade. — E será ainda à mulher que buscaremos confiar a missão mais sublime na construção evangélica dentro dos corações, no supremo esforço de iluminar o mundo.

O Apóstolo do Tiberíades ouvira as derradeiras palavras do Divino Mestre, tomado de surpresa. Conservou-se, no entanto, em silêncio, ante o sorriso doce do Messias.

Muito distante, o último beijo de sol punha um reflexo dourado no leque móvel das águas que as correntes claras do Jordão enriqueciam. Simão Pedro, fatigado do labor diário, preparou-se para descansar, com sua alma clareada pelas novas revelações da palavra do Senhor, as quais, cheias de luz e esperança divinas, dissipavam as obscuridades da lei de Moisés.

～

Dois dias eram passados sobre o doloroso drama do Calvário, em cuja cruz de inominável martírio se sacrificara o Mestre, pelo bem de todos os homens. Penosa situação de dúvida reinava dentro da pequena comunidade dos discípulos. Quase todos haviam vacilado na hora extrema. O raciocínio frágil do homem lutava por compreender a finalidade daquele sacrifício. Não era Jesus o poderoso Filho de Deus que consolara os tristes, ressuscitara mortos, sarara enfermos de doenças incuráveis? Por que não conjurara a traição de Judas, com as suas forças sobrenaturais? Por que se humilhara assim, sangrando de dor, nas ruas de Jerusalém, submetendo-se ao ridículo e à zombaria? Então, o Emissário do Pai Celestial deveria ser crucificado entre dois ladrões?!

Enquanto essas questões eram examinadas, de boca em boca, a lembrança do Messias ficava relegada a plano inferior, olvidada a sua exemplificação e a grandeza dos seus ensinamentos. O barco da fé não soçobrara[27] inteiramente, porque ali estavam as lágrimas do coração materno, trespassado de amarguras.

---

[27] N.E.: Virar (geralmente uma embarcação) e ir a pique; fazer naufragar ou naufragar; afundar(-se), submergir(-se).

O Messias redivivo, porém, observava a incompreensão de seus discípulos, como o pastor que contempla o seu rebanho desarvorado. Desejava fazer ouvida a sua palavra divina, dentro dos corações atormentados, mas só a fé ardente e o ardente amor conseguem vencer os abismos de sombra entre a Terra e o Céu. E todos os companheiros se deixavam abater pelas ideias negativas.

Foi então, quando, na manhã do terceiro dia, a ex-pecadora de Magdala se acercou do sepulcro com perfumes e flores. Queria, ainda uma vez, aromatizar aquelas mãos inertes e frias; ainda uma vez, queria contemplar o Mestre Adorado, para cobri-lo com o pranto do seu amor purificado e ardoroso. No seu coração estava aquela fé radiosa e pura que o Senhor lhe ensinara e, sobretudo, aquela dedicação divina, com que pudera renunciar a todas as paixões que a seduziam no mundo. Maria Madalena ia ao túmulo com amor e só o amor pode realizar os milagres supremos.

Estupefata, por não encontrar o corpo bem-amado, já se retirava entristecida, para dar ciência do que verificara aos companheiros, quando uma voz carinhosa e meiga exclamou brandamente aos seus ouvidos:

— Maria!...

Ela se supôs admoestada pelo jardineiro; mas, em breves instantes, reconhecia a voz inesquecível do Mestre e lhe contemplava o inolvidável sorriso. Quis atirar-se-lhe aos pés, beijar-lhe as mãos num suave transporte de afetos, como faziam nas pregações do Tiberíades; porém, com um gesto de soberana ternura, Jesus a afastou, esclarecendo:

— Não me toques, pois ainda não fui a meu Pai que está nos céus!...

Instintivamente, Madalena se ajoelhou e recebeu o olhar do Mestre, num transbordamento de lágrimas de inexcedível ventura. Era a promessa de Jesus que se cumpria. A realidade da ressurreição era a essência divina, que daria eternidade ao Cristianismo.

A mensagem da alegria ressoou, então, na comunidade inteira. Jesus ressuscitara! O Evangelho era a verdade imutável. Em todos os corações pairava uma divina embriaguez de luz e júbilos celestiais. Levantava-se a fé, renovava-se o amor, morrera a dúvida e reerguera-se o ânimo em todos os espíritos. Na amplitude da vibração amorosa, outros olhos puderam vê-lo e outros ouvidos lhe escutaram a voz dulçorosa e persuasiva, como nos dias gloriosos de Jerusalém ou de Cafarnaum.

Desde essa hora, a família cristã se movimentou no mundo, para nunca mais esquecer o exemplo do Messias.

A luz da ressurreição, por meio da fé ardente e do ardente amor de Maria Madalena, havia banhado de claridade imensa a estrada cristã, para todos os séculos terrestres.

~

É por isso que todos os historiadores das origens do Cristianismo param a pena, assombrados ante a fé profunda dos primeiros discípulos que se dispersaram pelo deserto das grandes cidades para pregação da Boa-Nova, e, observando a confiança serena de todos os mártires que se têm sacrificado na esteira infinita do tempo pela ideia de Jesus, perguntam espantados, como Ernest Renan,[28] numa de suas obras:

— Onde está o sábio da Terra que já deu ao mundo tanta alegria quanto à carinhosa Maria de Magdala?

---

[28] N.E.: Ernest Renan (1823–1892), historiador e filósofo francês.

∼ 23 ∼
O servo bom

A condenação das riquezas se firmara no espírito dos discípulos, com profundas raízes, a tal ponto que, por várias vezes, foi Jesus obrigado a intervir de maneira a pôr termo a contendas injustificáveis. De vez em quando, Tadeu parecia querer impor aos assistentes das pregações do lago a entrega de todos os bens aos necessitados; Filipe não vacilava em afiançar que ninguém deveria possuir mais que uma camisa, constituindo uma obrigação tudo dividir com os infortunados, privando-se cada qual do indispensável à vida.

— E quando o pobre nos surge somente nas aparências? — replicava judiciosamente Levi. — Conheço homens abastados que choram na coletoria de Cafarnaum, como miseráveis mendigos, apenas com o fim de se eximirem dos impostos. Sei de outros que estendem as mãos à caridade pública e são proprietários de terras dilatadas. Estaríamos edificando o Reino de Deus, se favorecêssemos a exploração?

— Tudo isso é verdade — redarguia Simão Pedro. — Entretanto, Deus nos inspirará sempre, nos momentos oportunos, e não é por essa razão que deveremos abandonar os realmente desamparados.

Levi, porém, não se dava por vencido e retrucava:

— A necessidade sincera deve ser objeto incessante de nosso carinhoso interesse; mas, tratando-se dos falsos mendigos, é preciso considerar que a palavra de Deus nos tem vindo pelo Mestre, que nunca se cansa de nos aconselhar vigilância. É imprescindível não viciarmos o sentimento de piedade, a ponto de prejudicarmos os nossos irmãos no caminho da vida.

O antigo cobrador de impostos expunha, assim, a sua maneira de ver; mas Filipe, agarrando-se à letra dos ensinos, obtemperava com ênfase:

— Continuarei acreditando que é mais fácil a passagem de um camelo pelo fundo de uma agulha do que a entrada de um rico no Reino do Céu.

Jesus não participava dessas discussões, porém, sentia as dúvidas que pairavam no coração dos discípulos e, deixando-os entregues aos seus raciocínios próprios, aguardava oportunidade para um esclarecimento geral.

~

Passava-se o tempo e as pequenas controvérsias continuavam acesas.

Chegara, porém, o dia em que o Mestre se ausentaria da Galileia para a derradeira viagem a Jerusalém. A sua última ida a Jericó, antes do suplício, era aguardada com curiosidade imensa. Grandes multidões se apinhavam nas estradas.

Um publicano abastado, de nome Zaqueu, conhecia o renome do Messias e desejava vê-lo. Chefe prestigioso na sua cidade, homem rico e enérgico, Zaqueu era, porém, de pequena estatura, tanto assim que, buscando satisfazer ao seu desejo ardente, procurou acomodar-se sobre um sicômoro, levado pela ansiosa expectativa com que esperava a passagem de Jesus.

Coração inundado de curiosidade e de sensações alegres, o chefe publicano, ao aproximar-se o Messias, admirou-lhe o porte nobre e simples, sentindo-se magnetizado pela sua indefinível simpatia. Altamente surpreendido, verificou que o Mestre estacionara a seu lado e lhe dizia com acento íntimo:

— Zaqueu, desce dessa árvore, porque hoje necessito de tua hospitalidade e de tua companhia.

Sem que pudesse traduzir o que se passava em seu coração, o publicano de Jericó desceu de sua improvisada galeria, possuído de imenso júbilo. Abraçou-se a Jesus com prazer espontâneo e ordenou todas as providências para que o querido hóspede e sua comitiva fossem recebidos em casa com a maior alegria. O Mestre deu o braço ao publicano e escutava, atento, as suas observações mais insignificantes, com grande escândalo da maioria dos discípulos. "Não se tratava de um rico que devia ser condenado?" — perguntava Filipe a si próprio. E Simão Pedro refletia intimamente: "Como justificar tudo isto, se Zaqueu é um homem de dinheiro e pecador perante a lei?"

A breves instantes, porém, toda a comitiva penetrava na residência do publicano, que não ocultava o seu contentamento inexcedível. Jesus lhe conquistara as atenções, tocando-lhe as fibras mais íntimas do espírito, com a sua presença generosa. Tratava-se de um hóspede bem-amado, que lhe ficaria eternamente no coração.

Aproximava-se o crepúsculo, quando Zaqueu mandou oferecer uma leve refeição a todo o povo, em sinal de alegria, sentando-se com Jesus e os seus discípulos sob um vasto alpendre. A palestra versava sobre a nova doutrina e, sabendo que o Mestre não perdia ensejo de condenar as riquezas criminosas do mundo, o publicano esclarecia, com toda a sinceridade de sua alma:

— Senhor, é verdade que tenho sido observado como um homem de vida reprovável; mas, desde muitos anos, venho procurando empregar o dinheiro de modo que represente benefícios para todos os que me rodeiem na vida. Compreendendo que aqui em Jericó havia muitos pais de família sem trabalho, organizei múltiplos serviços de criação de animais e de cultivo permanente da terra. Até de Jerusalém, muitas famílias já vieram buscar, em meus trabalhos, o indispensável recurso à vida!...

— Abençoado seja o teu esforço! — replicou Jesus, cheio de bondade.

Zaqueu ganhou novas forças e murmurou:

— Os servos de minha casa nunca me encontraram sem a sincera disposição de servi-los.

— Regozijo-me contigo — exclamou o Messias —, porque todos nós somos servos de nosso Pai.

O publicano, que tantas vezes fora injustamente acusado, experimentou grande satisfação. A palavra de Jesus era uma recompensa valiosa à sua consciência dedicada ao bem coletivo. Extasiado, levantou-se e, estendendo ao Cristo as mãos, exclamou alegremente:

— Senhor! Senhor! tão profunda é a minha alegria, que repartirei hoje, com todos os necessitados, a metade dos meus bens, e, se nalguma coisa tenho prejudicado a alguém, indenizá-lo-ei, quadruplicadamente!...

Jesus o abraçou com um formoso sorriso e respondeu:

— Bem-aventurado és tu que agora contemplas em tua casa a verdadeira salvação.

Alguns dos discípulos, notadamente Filipe e Simão, não conseguiam ocultar suas deduções desagradáveis. Mais ou menos aferrados às leis judaicas e atentando somente no sentido literal das lições do Messias, estranhavam aquela afabilidade de Jesus, aprovando os atos de um rico do mundo, confessadamente publicano e pecador. E, como o dono da casa se ausentasse da reunião por alguns minutos, a fim de providenciar sobre a vinda de seus filhos para conhecerem o Messias, Pedro e outros prorromperam numa chuva de pequeninas perguntas: Por que tamanha aprovação a um rico mesquinho? As riquezas não eram condenadas pelo Evangelho do reino? Por que não se hospedarem numa casa humilde, e sim naquela vivenda suntuosa, em contraposição aos ensinos da humildade? Poderia alguém servir a Deus e ao mundo de pecados?

O Mestre deixou que cessassem as interrogações e esclareceu com generosa firmeza:

— Amigos, acreditais, porventura, que o Evangelho tenha vindo ao mundo para transformar todos os homens em miseráveis mendigos? Qual a esmola maior: a que socorre as necessidades de um dia ou a que adota providências para uma vida inteira? No mundo vivem os que entesouram na Terra e os que entesouram no Céu. Os primeiros escondem suas possibilidades no cofre da ambição e do egoísmo e, por vezes, atiram uma moeda dourada ao faminto que passa, procurando livrar-se de sua presença; os segundos ligam suas existências a vidas numerosas, fazendo de seus servos e dos auxiliares de esforços a continuação de sua própria família. Estes últimos sabem empregar o sagrado depósito de Deus e são seus mordomos fiéis, à face do mundo.

Os Apóstolos ouviam-no, espantados. Filipe, desejoso de se justificar, depois da argumentação incisiva do Cristo, exclamou:

— Senhor, eu não compreendia bem, porque trazia o meu pensamento fixado nos pobres que a vossa bondade nos ensinou a amar.

— Entretanto, Filipe — elucidou o Mestre —, é necessário não nos perdermos em viciações do sentimento. Nunca ouviste falar numa terra pobre, numa árvore pobre, em animais desamparados? E acima de tudo, nesses quadros da Natureza a que Zaqueu procura atender, não vês o homem, nosso irmão? Qual será o mais infeliz: o mendigo sem responsabilidade, a não ser a de sua própria manutenção, ou um pai carregado de filhinhos a lhe pedirem pão?

Como André o observasse, com grande brilho nos olhos, maravilhado com as suas explicações, o Mestre acentuou:

— Sim, amigos! ditosos os que repartirem os seus bens com os pobres; mas bem-aventurados também os que consagrarem suas possibilidades aos movimentos da vida, cientes de que o mundo é um grande necessitado, e que sabem, assim, servir a Deus com as riquezas que lhes foram confiadas!

~

Em seguida, Zaqueu mandou servir uma grande mesa ao Senhor e aos discípulos, onde Jesus partiu o pão, partilhando do contentamento geral. Impulsionado por um júbilo insopitável, o chefe publicano de Jericó apresentou seus filhos a Jesus e mandou que seus servos festejassem aquela noite memorável para o seu coração.

Nos terreiros amplos da casa, crianças e velhos felizes cantavam hinos de cariciosa ventura, enquanto jovens em grande número tocavam flautas, enchendo de harmonias o ambiente.

Foi então que Jesus, reunidos todos, contou a formosa parábola dos talentos, conforme a narrativa dos Apóstolos, e foi também que, pousando enternecido e generoso olhar sobre a figura de Zaqueu, seus lábios divinos pronunciaram as imorredouras palavras: — Bem-aventurado sejas tu, servo bom e fiel!

~ 24 ~
A ilusão do discípulo

Jesus havia chegado a Jerusalém sob uma chuva de flores.
De tarde, após a consagração popular, caminhavam Tiago e Judas, lado a lado, por uma estrada antiga, marginada de oliveiras, que conduzia às casinhas alegres de Betânia.
Judas Iscariotes deixava transparecer no semblante íntima inquietação, enquanto no olhar sereno do filho de Zebedeu fulgurava a luz suave e branda que consola o coração das almas crentes.
— Tiago — exclamou Judas, entre ansioso e atormentado —, não achas que o Mestre é demasiado simples e bom para quebrar o jugo tirânico que pesa sobre Israel, abolindo a escravidão que oprime o povo eleito de Deus?
— Mas — replicou o interpelado — poderias admitir no Mestre as disposições destruidoras de um guerreiro do mundo?
— Não tanto assim. Contudo, tenho a impressão de que o Messias não considera as oportunidades. Ainda hoje, tive a atenção reclamada por doutores da lei que me fizeram sentir a inutilidade das pregações evangélicas, sempre levadas a efeito entre as

pessoas mais ignorantes e desclassificadas. Ora, as reivindicações do nosso povo exigem um condutor enérgico e altivo.

— Israel — retrucou o filho de Zebedeu, de olhar sereno — sempre teve orientadores revolucionários; o Messias, porém, vem efetuar a verdadeira revolução, edificando o seu reino sobre os corações e nas almas!...

Judas sorriu algo irônico, e acrescentou:

— Mas poderemos esperar renovações, sem conseguirmos o interesse e a atenção dos homens poderosos?

— E quem haverá mais poderoso do que Deus, de quem o Mestre é o Enviado Divino?

Em face dessa invocação, Judas mordeu os lábios, mas prosseguiu:

— Não concordo com os princípios de inação e creio que o Evangelho somente poderá vencer com o amparo dos prepostos de César ou das autoridades administrativas de Jerusalém, que nos governam o destino. Acompanhando o Mestre nas suas pregações em Cesareia, em Sebaste, em Corazim e Betsaida, quando das suas ausências de Cafarnaum, jamais o vi interessado em conquistar a atenção dos homens mais altamente colocados na vida. É certo que de seus lábios divinos sempre brotaram a Verdade e o Amor, por toda parte, mas só observei leprosos e cegos, pobres e ignorantes, abeirando-se de nossa fonte.

— Jesus, porém, já nos esclareceu — obtemperou Tiago, com brandura — que o seu reino não é deste mundo.

Imprimindo aos olhos inquietos um fulgor estranho, o discípulo impaciente revidou com energia:

— Vimos hoje o povo de Jerusalém atapetar o caminho do Senhor com as palmas da sua admiração e do seu carinho; precisamos, todavia, impor a figura do Messias às autoridades da Corte Provincial e do Templo, de modo a aproveitarmos esse surto de simpatia. Notei que Jesus recebia as homenagens populares sem partilhar do entusiasmo febril de quantos o cercavam, razão por que necessitamos multiplicar esforços, em lugar dele, a fim de que a nossa posição de superioridade seja reconhecida em tempo oportuno.

— Recordo-me, entretanto, de que o Mestre nos asseverou, certa vez, que o maior na comunidade será sempre aquele que se fizer o menor de todos.

— Não podemos levar em conta esses excessos de teoria. Interpelado que vou ser hoje por amigos influentes na política de Jerusalém, farei o possível por estabelecer acordos com os altos funcionários e homens de importância, a fim de imprimirmos novo movimento às ideias do Messias.

— Judas! Judas!... — observou-lhe o irmão de apostolado, com doce veemência — vê lá o que fazes! Socorreres-te dos poderes transitórios do mundo, sem um motivo que justifique esse recurso, não será desrespeito à autoridade de Jesus? Não terá o Mestre visão bastante para sondar e reconhecer os corações? O hábito dos sacerdotes e a toga dos dignitários romanos são roupagens para a Terra... As ideias do Mestre são do Céu e seria sacrilégio misturarmos a sua pureza com as organizações viciadas do mundo!... Além de tudo, não podemos ser mais sábios, nem mais amorosos do que Jesus e Ele sabe o melhor caminho e a melhor oportunidade para a conversão dos homens!... As conquistas do mundo são cheias de ciladas para o espírito e, entre elas, é possível que nos transformemos em órgão de escândalo para a Verdade que o Mestre representa.

Judas silenciou atormentado.

No firmamento, os derradeiros raios de sol batiam nas nuvens distantes, enquanto os dois discípulos tomavam rumos diferentes.

~

Sem embargo das carinhosas exortações de Tiago, Judas Iscariotes passou a noite tomado de angustiosas inquietações.

Não seria melhor apressar o triunfo mundano do Cristianismo? Israel não esperava um Messias que enfeixasse nas mãos todos os poderes? Valendo-se da doutrina do Mestre, poderia tomar para si as rédeas do movimento renovador, enquanto Jesus, na sua bondade e simpleza, ficaria entre todos, como um símbolo vivo da ideia nova.

Recordando suas primeiras conversações com as autoridades do Sinédrio, meditava na execução de seus sombrios desígnios.

A madrugada o encontrou decidido, na embriaguez de seus sonhos ilusórios. Entregaria o Mestre aos homens do poder, em troca de sua nomeação oficial para dirigir a atividade dos companheiros. Teria autoridade e privilégios políticos. Satisfaria às suas ambições, aparentemente justas, a fim de organizar a vitória cristã no seio de seu povo. Depois de atingir o alto cargo com que contava, libertaria Jesus e lhe dirigiria os dons espirituais, de modo a utilizá-los para a conversão de seus amigos e protetores prestigiosos...

O Mestre, a seu ver, era demasiadamente humilde e generoso para vencer sozinho, por entre a maldade e a violência.

Ao desabrochar a alvorada, o discípulo imprevidente demandou o centro da cidade e, após horas, era recebido pelo Sinédrio, onde lhe foram hipotecadas as mais relevantes promessas.

Apesar de satisfeito com a sua mesquinha gratificação e desvairado no seu espírito ambicioso, Judas amava o Messias e esperava ansiosamente o instante do triunfo, para lhe dar a alegria da vitória cristã, por meio das manobras políticas do mundo.

O prêmio da vaidade, porém, esperava a sua desmedida ambição.

Humilhado e escarnecido, seu Mestre bem-amado foi conduzido à cruz da ignomínia, sob vilipêndios e flagelações.

Daqueles lábios, que haviam ensinado a Verdade e o bem, a simplicidade e o amor, não chegou a escapar-se uma queixa.

Martirizado na sua estrada de angústias, o Messias só teve o máximo de perdão para seus algozes.

 Observando os acontecimentos, que lhe contrariavam as mais íntimas suposições, Judas Iscariotes se dirigiu a Caifás, reclamando o cumprimento de suas promessas. Os sacerdotes, porém, ouvindo-lhe as palavras tardias, sorriram com sarcasmo. Debalde recorreu às suas prestigiosas relações de amizade: teve de reconhecer a falibilidade das promessas humanas. Atormentado e aflito, buscou os companheiros de fé. Encontrou-os vencidos e humilhados; pareceu-lhe, porém, descobrir em cada olhar a mesma exprobração silenciosa e dolorida.

~

Já se havia escoado a hora sexta, em que o Mestre expirara na cruz, implorando perdão para seus verdugos.

De longe, Judas[29] contemplou todas as cenas angustiosas e humilhantes do Calvário. Atroz remorso lhe pungia a consciência dilacerada. Lágrimas ardentes lhe rolavam dos olhos tristes e amortecidos. Malgrado a vaidade que o perdera, ele amava intensamente o Messias.

Em breves instantes, o céu da cidade impiedosa se cobriu de nuvens escuras e borrascosas. O mau discípulo, com um oceano de dor na consciência, peregrinou em derredor do casario maldito, acalentando o propósito de desertar do mundo, numa suprema traição aos compromissos mais sagrados de sua vida.

Antes, porém, de executar seus planos tenebrosos, junto à figueira sinistra, ouvia a voz amargurada do seu tremendo remorso.

Relâmpagos terríveis rasgavam o firmamento; trovões violentos pareciam lançar sobre a Terra criminosa a maldição do Céu vilipendiado e esquecido.

---

[29] N.E.: Sobre Judas há, no quinto capítulo de *Crônicas de além-túmulo*, do mesmo autor, uma belíssima crônica.

No entanto, sobre todas as vozes confusas da Natureza, o discípulo infeliz escutava a voz do Mestre, consoladora e inesquecível, penetrando-lhe os refolhos mais íntimos da alma:

— Eu sou o Caminho, a Verdade e a Vida. Ninguém pode ir ao Pai, senão por mim!...

~ 25 ~
A última ceia

Reunidos os discípulos em companhia de Jesus, no primeiro dia das festas da Páscoa, como de outras vezes, o Mestre partiu o pão com a costumeira ternura. Seu olhar, contudo, embora não traísse a serenidade de todos os momentos, apresentava misterioso fulgor, como se sua alma, naquele instante, vibrasse ainda mais com os altos planos do Invisível.

Os companheiros comentavam com simplicidade e alegria os sentimentos do povo, enquanto o Mestre meditava silencioso.

Em dado instante, tendo-se feito longa pausa entre os amigos palradores, o Messias acentuou com firmeza impressionante:

— Amados, é chegada a hora em que se cumprirá a profecia da Escritura. Humilhado e ferido, terei de ensinar em Jerusalém a necessidade do sacrifício próprio, para que não triunfe apenas uma espécie de vitória, tão passageira quanto as edificações do egoísmo ou do orgulho humanos. Os homens têm aplaudido, em todos os tempos, as tribunas douradas, as marchas retumbantes dos exércitos que se glorificaram com despojos sangrentos, os grandes ambiciosos que dominaram à força o espírito inquieto das multidões; entretanto, eu vim de meu Pai para ensinar como triunfam os que tombam no mundo, cumprindo um sagrado dever de amor, como mensageiros de um mundo melhor, onde reinam o bem e a verdade. Minha vitória é a dos que sabem ser derrotados entre os homens, para triunfarem com Deus, na divina construção de suas obras, imolando-se, com alegria, para glória de uma vida maior.

Ante a resolução expressa naquelas palavras firmes, os companheiros se entreolharam, ansiosos.

O Messias continuou:

— Não vos perturbeis com as minhas afirmativas, porque, em verdade, um de vós outros me há de trair!... As mãos, que eu acariciei, voltam-se agora contra mim. Todavia, minha alma está pronta para execução dos desígnios de meu Pai.

A pequena assembleia fez-se lívida. Com exceção de Judas, que entabulara negociações particulares com os doutores do Templo, faltando apenas o ato do beijo, a fim de consumar-se a sua defecção,[30] ninguém poderia contar com as palavras amargas do Messias. Penosa sensação de mal-estar se estabelecera entre todos. O filho de Iscariotes fazia o possível por dissimular as suas angustiosas impressões, quando os companheiros se dirigiam ao Cristo com perguntas angustiadas:

— Quem será o traidor? — disse Filipe, com estranho brilho nos olhos.

— Serei eu? — indagou André, ingenuamente.

— Mas, afinal — objetou Tiago, filho de Alfeu, em voz alta —, onde está Deus que não conjura semelhante perigo?

Jesus, que se mantivera em silêncio ante as primeiras interrogações, ergueu o olhar para o filho de Cleofas e advertiu:

— Tiago, faze calar a voz de tua pouca confiança na sabedoria que nos rege os destinos. Uma das maiores virtudes do

---

[30] N.E.: Abandono voluntário e consciente de uma obrigação ou compromisso, deserção.

discípulo do Evangelho é a de estar sempre pronto ao chamado da Providência Divina. Não importa onde e como seja o testemunho de nossa fé. O essencial é revelarmos a nossa união com Deus, em todas as circunstâncias. É indispensável não esquecer a nossa condição de servos de Deus, para bem lhe atendermos ao chamado, nas horas de tranquilidade ou de sofrimento.

A esse tempo, havendo-se calado novamente o Messias, João interveio, perguntando:

— Senhor, compreendo a vossa exortação e rogo ao Pai a necessária fortaleza de ânimo; mas por que motivo será justamente um dos vossos discípulos o traidor de vossa causa? Já nos ensinastes que, para se eliminarem do mundo os escândalos, outros escândalos se tornam necessários; porém, ainda não pude atinar com a razão de um possível traidor, em nosso próprio colégio de edificação e de amizade.

Jesus pousou no interlocutor os olhos serenos e acentuou:

— Em verdade, cumpre-me afirmar que não me será possível dizer-vos tudo agora; entretanto, mais tarde enviarei o Consolador, que vos esclarecerá em meu nome, como agora vos falo em nome de meu Pai.

E, detendo-se um pouco a refletir, continuou para o discípulo em particular:

— Ouve, João: os desígnios de Deus, se são insondáveis, também são invariavelmente justos e sábios. O escândalo desabrochará em nosso próprio círculo bem-amado, mas servirá de lição a todos aqueles que vierem depois de nossos passos, no divino serviço do Evangelho. Eles compreenderão que para atingirem a porta estreita da renúncia redentora hão de encontrar, muitas vezes, o abandono, a ingratidão e o desentendimento dos seres mais queridos. Isso revelará a necessidade de cada qual firmar-se no seu caminho para Deus, por mais espinhoso e sombrio que ele seja.

O Apóstolo impressionara-se vivamente com as derradeiras palavras do Mestre e passou a meditar sobre seus ensinos.

As sensações de estranheza perduravam em toda a assembleia. Jesus, então, levantou-se e, oferecendo a cada companheiro um pedaço de pão, exclamou:

— Tomai e comei! Este é o meu corpo.

Em seguida, servindo a todos de uma pequena bilha de vinho, acrescentou:

— Bebei! porque este é o meu sangue, dentro do Novo Testamento, a confirmar as verdades de Deus.

Os discípulos lhe acolheram a suave recomendação, naturalmente surpreendidos, e Simão Pedro, sem dissimular a sua incompreensão do símbolo, interrogou:

— Mestre, que vem a ser isso?

— Amados — disse Jesus, com emoção —, está muito próximo o nosso último instante de trabalho em conjunto e quero reiterar-vos as minhas recomendações de amor, feitas desde o primeiro dia do apostolado. Este pão significa o do banquete do Evangelho; este vinho é o sinal do espírito renovador dos meus ensinamentos. Constituirão o símbolo de nossa comunhão perene, no sagrado idealismo do amor, com que operaremos no mundo até o último dia. Todos os que partilharem conosco, através do tempo, desse pão eterno e desse vinho sagrado da alma, terão o espírito fecundado pela luz gloriosa do Reino de Deus, que representa o objetivo santo dos nossos destinos.

Ponderando a intensidade do esforço a ser empregado e aludindo às multidões espirituais que se conservam sob a sua amorosa direção, fora dos círculos da carne, nas esferas mais próximas da Terra, o Cristo acrescentou:

— Imenso é o trabalho da redenção, mesmo porque tenho outras ovelhas que não são deste aprisco; mas o reino nos espera com sua eternidade luminosa!...

Altamente tocados pelas suas exortações solenes, porém, maravilhados ainda mais com as promessas daquele reinado venturoso e sem-fim, que ainda não podiam compreender claramente, a maioria dos discípulos começou a discutir as aspirações e conquistas do futuro.

Enquanto Jesus se entretinha com João, em observações afetuosas, os filhos de Alfeu examinavam com Tiago as possíveis realizações dos tempos vindouros, antecipando opiniões sobre qual dos companheiros poderia ser o maior de todos, quando chegasse o reino com as suas inauditas grandiosidades. Filipe afirmava a Simão Pedro que, depois do triunfo, todos deveriam entrar em Nazaré para revelar aos doutores e aos ricos da cidade a sua superioridade espiritual. Levi dirigia-se a Tomé e lhe fazia sentir que, verificada a vitória, se lhes constituía uma obrigação a marcha para o Templo ilustre, onde exigiriam seus poderes supremos. Tadeu esclarecia que o seu intento era dominar os mais fortes e impenitentes do mundo, para que aceitassem, de qualquer modo, a lição de Jesus.

O Mestre interrompera a sua palestra íntima com João, e os observava. As discussões iam acirradas. As palavras "maior de todos" soavam insistentemente aos seus ouvidos. Parecia que os componentes do sagrado colégio estavam na véspera da divisão de uma conquista material e, como os triunfadores do mundo, cada qual desejava a maior parte da presa. Com exceção de Judas, que se fechava num silêncio sombrio, quase todos discutiam com veemência. Sentindo-lhes a incompreensão, o Mestre pareceu contemplá-los com entristecida piedade.

～

Nesse instante, os Apóstolos observaram que Ele se erguia. Com espanto de todos, despiu a túnica singela e cingiu-se com uma toalha em torno dos rins, à moda dos escravos mais íntimos, a serviço dos seus senhores. E, como se fossem dispensáveis as palavras naquela hora decisiva de exemplificação, tomou de um vaso de água perfumada e, ajoelhando-se, começou a lavar os pés dos discípulos. Ante o protesto geral em face daquele ato de suprema humildade, Jesus repetiu o seu imorredouro ensinamento:

— Vós me chamais Mestre e Senhor e dizeis bem, porque eu o sou. Se eu, Senhor e Mestre, vos lavo os pés, deveis igualmente lavar os pés uns dos outros no caminho da vida, porque no reino do Bem e da Verdade, o maior será sempre aquele que se fez sinceramente o menor de todos.

~ 26 ~
A negação de Pedro

O ato do Messias, lavando os pés de seus discípulos, encontrou certa incompreensão da parte de Simão Pedro. O velho pescador não concordava com semelhante ato de extrema submissão. E, chegada a sua vez, obtemperou, resoluto:

— Nunca me lavareis os pés, Mestre; meus companheiros estão sendo ingratos e duros neste instante, deixando-vos praticar esse gesto, como se fôsseis um escravo vulgar.

Em seguida a essas palavras, lançava à assembleia um olhar de reprovação e desprezo, enquanto Jesus lhe respondia:

— Simão, não queiras ser melhor que os teus irmãos de apostolado, em nenhuma circunstância da vida. Em verdade, assevero-te que, sem o meu auxílio, não participarás com meu espírito das alegrias supremas da redenção.

O antigo pescador de Cafarnaum aquietou-se um pouco, fazendo calar a voz de sua generosidade quase infantil.

Terminada a lição e retomando o seu lugar à mesa, o Mestre parecia meditar gravemente. Logo após, todavia, dando a entender que sua visão espiritual devassava os acontecimentos do futuro, sentenciou:

— Aproxima-se a hora do meu derradeiro testemunho! Sei, por antecipação, que todos vós estareis dispersados nesse instante supremo. É natural, porquanto ainda não estais preparados senão para aprender. Antes, porém, que eu parta, quero deixar-vos um novo mandamento, o de amar-vos uns aos outros como eu vos tenho amado; que sejais conhecidos como meus discípulos, não pela superioridade no mundo, pela demonstração de poderes espirituais, ou pelas vestes que envergueis na vida, mas pela revelação do amor com que vos amo, pela humildade que deverá ornar as vossas almas, pela boa disposição no sacrifício próprio.

Vendo que Jesus repetia uma vez mais aquelas recomendações de despedida, Pedro, dando expansão ao seu temperamento irrequieto, adiantou-se, indagando:

— Afinal, Senhor, para onde ides?

O Mestre lhe lançou um olhar sereno, fazendo-lhe sentir o interesse que lhe causava a sua curiosidade e redarguiu:

— Ainda não te encontras preparado para seguir-me. O testemunho é de sacrifício e de extrema abnegação e somente mais tarde entrarás na posse da fortaleza indispensável.

Simão, no entanto, desejando provar por palavras aos companheiros o valor da sua dedicação, acrescentou, com certa ênfase, ao propósito de se impor à confiança do Messias:

— Não posso seguir-vos? Acaso, Mestre, podereis duvidar de minha coragem? Então, não sou um homem? Por vós darei a minha própria vida.

O Cristo sorriu e ponderou:

— Pedro, a tua inquietação se faz credora de novos ensinamentos. A experiência te ensinará melhores conclusões, porque, em verdade, te afirmo que esta noite o galo não cantará, sem que me tenhas negado por três vezes.

— Julgais-me, então, um espírito mau e endurecido a esse ponto? — indagou o pescador, sentindo-se ofendido.

— Não, Pedro — adiantou o Mestre, com doçura —, não te suponho ingrato ou indiferente aos meus ensinos. Porém, vais aprender, ainda hoje, que o homem do mundo é mais frágil do que perverso.

～

Pedro não quis acreditar nas afirmações do Messias e tão logo se verificara a sua prisão, no pressuposto de demonstrar o seu desassombro e boa disposição para a defesa do Evangelho do reino, atacou com a espada um dos servos do sumo sacerdote de Jerusalém, compelindo o Mestre a mais severas observações. Consoante as afirmativas de Jesus, o colégio dos Apóstolos se dispersara naquele momento de supremas resoluções. A humildade com que o Cristo se entregava desapontara a alguns deles, que não conseguiam compreender a transcendência daquele Reino de Deus, sublimado e distante.

Pedro e João, observando que a detenção do Mestre pelos emissários do Templo era fato consumado, combinaram, entre si, acompanhar, de longe, o grupo que se afastava, conduzindo o Messias. Debalde, procuraram os demais companheiros que, receosos da perseguição, haviam debandado.

Ambos, no entanto, desejavam prestar a Jesus o auxílio necessário. Quem sabe poderiam encontrar um recurso de salvá-lo? Era mister certificar-se de todas as ocorrências. Recorreriam às suas humildes relações em Jerusalém, a favor do Mestre querido. Compreendiam a extensão do perigo e as ameaças que lhes pesavam sobre a fronte. De instante a instante, eram surpreendidos por homens do povo que, em palestra de caminho, acusavam a Jesus de feiticeiro e herético.

A noite caíra sobre a cidade.

Os dois discípulos observaram que a expedição de servos e soldados chegava à residência de Caifás, onde o Cristo foi recolhido a uma cela úmida, cujas grades davam para um pátio extenso.

O prisioneiro fora trancafiado, por entre zombarias e impropérios. Ao grupo reduzido, juntava-se agora a massa popular, então em pleno alvoroço festivo, nas comemorações da Páscoa. O pátio amplo foi invadido por uma aluvião de pessoas alegres.

Pedro e João compreenderam que as autoridades do Templo imprimiam caráter popular ao movimento de perseguição ao Messias, vingando-se de sua vitória na entrada triunfal em Jerusalém, como uma nova esperança para o coração dos desalentados e oprimidos.

Depois de ligeiro entendimento, o filho de Zebedeu voltava a Betânia, a fim de colocar a mãe de Jesus ao corrente dos fatos, enquanto Pedro se misturava à aglomeração, de maneira a observar em que poderia ser útil ao Messias.

O ambiente estava já preparado pelo farisaísmo para os tristes acontecimentos do dia imediato. Em todas as rodas, falava-se do Cristo como de um traidor ou revolucionário vulgar. Alguns comentadores mais exaltados o denunciavam como ladrão. Ridicularizava-se o seu ensinamento, zombava-se de sua exemplificação e não faltavam os que diziam, em voz alta, que o Profeta nazareno havia chegado à cidade chefiando um bando de salteadores.

O velho pescador de Cafarnaum sentiu a hostilidade com que teria de lutar a fim de socorrer o Messias, e experimentou um frio angustioso no coração. Sua resolução parecia vencida. A alma ansiosa se deixava dominar por dúvidas e aflições. Começou a pensar nos seus familiares, em suas necessidades comuns, nas convenções de Jerusalém, que ele não poderia afrontar sem pesados castigos. Com o cérebro fervilhando de expectativas e cogitações de defesa própria, penetrou no extenso pátio, onde se adensava a multidão.

Para logo, uma das servas da casa se aproximou dele e exclamou surpreendida:

— Não és tu um dos companheiros deste homem? — indagou, designando a cela onde Jesus se achava encarcerado.

O pescador refletiu um momento e, reconhecendo que o instante era decisivo, respondeu, dissimulando a própria emoção:
— Estás enganada. Não sou.

O Apóstolo ponderou aquela primeira negativa e pôs-se a considerar que semelhante procedimento, aos seus olhos, era o mais razoável, porquanto tinha de empregar todas as possibilidades ao seu alcance, a favor de Jesus.

Fingindo despreocupação, o irmão de André se dirigiu a uma pequena aglomeração de populares, onde cada qual procurava esquivar-se ao frio intenso da noite, aquentando-se junto de um braseiro. Novamente um dos circunstantes, reconhecendo-o, o interpelou nestes termos:
— Então, vieste socorrer o teu Mestre?
— Que Mestre? — perguntou o pescador de Cafarnaum, entre receoso e assustado. — Nunca fui discípulo desse homem.

Fornecida essa explicação, todo o grupo se sentiu à vontade para comentar a situação do prisioneiro. Longas horas passaram-se para Simão Pedro, que tinha o coração a duelar-se com a própria consciência, naqueles instantes penosos em que fora chamado ao testemunho. A noite ia adiantada, quando alguns servidores vieram servir bilhas de vinho. Um deles, encarando o discípulo com certo espanto, exclamou de súbito:
— É este!... É bem aquele discípulo que nos atacou a espada, entre as árvores do horto!...

Simão ergueu-se, pálido, e protestou:
— Estás enganado, amigo!... Vê que isso não seria possível!...

Logo que pronunciou sua derradeira negativa, os galos da vizinhança cantaram em vozes estridentes, anunciando a madrugada.

Pedro recordou as palavras do Mestre e sentiu-se perturbado por infinita angústia. Levantou-se cambaleante e, voltando-se instintivamente para a cela em que o Mestre se achava prisioneiro, viu o semblante sereno de Jesus a contemplá-lo através das grades singelas.

Presa de indizível remorso, o Apóstolo retirou-se, envergonhado de si mesmo. Dando alguns passos, alcançou os muros exteriores, onde se deteve a chorar amargamente. Ele, que fora sempre homem ríspido e resoluto, que condenara invariavelmente os transviados da Verdade e do bem, que nunca conseguira perdoar às mulheres mais infelizes, ali se encontrava, abatido como uma criança, em face de sua própria falta. Começava a entender a razão de certas experiências dolorosas de seus irmãos em humanidade. Em seu espírito como que desabrochava uma fonte de novas considerações pelos infortunados da vida. Desejava, ansiosamente, ajoelhar-se ante o Messias e suplicar-lhe perdão para a sua queda dolorosa.

Pelo véu de lágrimas que lhe obscurecia os olhos, Simão Pedro experimentou uma visão consoladora e generosa. Figurou-se-lhe que o Mestre vinha vê-lo, em espírito, na solidão da noite, trazendo nos lábios aquele mesmo sorriso sereno de todos os dias. Ante a emoção confortadora e divina, Pedro ajoelhou-se e murmurou:

— Senhor, perdoai-me!

Nesse instante, porém, nada mais viu, na confusão de seus angustiados pensamentos. Luar alvíssimo enfeitava de luz as vielas desoladas. Foi aí que o antigo pescador refletiu mais austeramente, lembrando as advertências amigas de Jesus, quando lhe dizia: "Pedro, o homem do mundo é mais frágil do que perverso!...".

~ 27 ~
A oração do Horto

Depois do ato de humildade extrema, de lavar os pés de todos os discípulos, Jesus retomou o lugar que ocupava à mesa do banquete singelo e, antes de se retirarem, elevou os olhos ao céu e orou assim, fervorosamente, conforme relata o evangelho de João:

— Pai santo, eis que é chegada a minha hora! Acolhe-me em teu amor, eleva o teu Filho, para que Ele possa elevar-te, entre os homens, no sacrifício supremo. Glorifiquei-te na Terra, testemunhei tua magnanimidade e sabedoria e consumo agora a obra que me confiaste. Neste instante, pois, meu Pai, ampara-me com a luz que me deste, muito antes que este mundo existisse!...

E fixando o olhar amoroso sobre a comunidade dos discípulos, que, silenciosos, lhe acompanhavam a rogativa, continuou:

— Manifestei o teu nome aos amigos que me deste; eram teus e Tu mos confiaste, para que recebessem a tua palavra de sabedoria e de amor. Todos eles sabem agora que tudo quanto lhes dei provém de ti! Neste instante supremo, Pai, não rogo pelo mundo, que é tua obra, cuja perfeição se verificará algum dia, porque está nos teus desígnios insondáveis, mas peço-te particularmente por eles, pelos que me confiaste, tendo em vista o esforço a que os obrigará o Evangelho, que ficará no mundo sobre os seus ombros generosos. Eu já não sou da Terra; mas rogo-te que os meus discípulos amados sejam unidos uns aos outros, como eu sou um contigo! Dei-lhes a tua palavra para o trabalho santo da redenção das criaturas; que, pois, eles compreendam que, nessa tarefa grandiosa, o maior testemunho é o do nosso próprio sacrifício pela tua causa, compreendendo que estão neste mundo, sem pertencerem às suas ilusórias convenções, por pertencerem só a ti, de cujo amor viemos todos para regressar à tua magnanimidade e sabedoria, quando houvermos edificado o bom trabalho e vencido na luta proveitosa. Que os meus discípulos, Pai, não façam da minha presença pessoal o motivo de sua alegria imediata; que me sintam sinceramente em suas aspirações, a fim de experimentarem o meu júbilo completo em si mesmos. Junto deles, outros trabalhadores do Evangelho despertarão para a tua verdade. O futuro estará cheio desses operários dignos do salário celeste. Será, de algum modo, a posteridade do Evangelho do reino que se perpetuará na Terra, para glorificar a tua revelação! Protege-os a todos, Pai! Que todos recebam a tua bênção, abrindo seus corações às claridades renovadoras! Pai justo, o mundo ainda não te conheceu; eu, porém, te conheci e lhes fiz conhecer o teu nome e a tua Bondade infinita, para que o amor com que me tens amado esteja neles e eu neles esteja!...

~

Terminada a oração, acompanhada em religioso silêncio por parte dos discípulos, Jesus se retirou em companhia de Simão Pedro e dos dois filhos de Zebedeu para o Monte das Oliveiras, onde costumava meditar. Os demais companheiros se dispersavam, impressionados, enquanto Judas, afastando-se com passos vacilantes, não conseguia aplacar a tempestade de sentimentos que lhe devastava o coração.

O crepúsculo começava a cair sobre o céu claro. Apesar do sol radioso da tarde a iluminar a paisagem, soprava o vento em rajadas muito frias.

Daí a alguns instantes, o Mestre e os três companheiros alcançavam o monte, povoado de árvores frondosas, que convidavam ao pensamento contemplativo.

Acomodando os discípulos em bancos naturais que as ervas do caminho se incumbiam de adornar, falou-lhes o Mestre, em tom sereno e resoluto:

— Esta é a minha derradeira hora convosco! Orai e vigiai comigo, para que eu tenha a glorificação de Deus no supremo testemunho!

Assim dizendo, afastou-se, a pequena distância, onde permaneceu em prece, cuja sublimidade os Apóstolos não podiam observar. Pedro, João e Tiago estavam profundamente tocados pelo que viam e ouviam. Nunca o Mestre lhes parecera tão solene, tão convicto, como naquele instante de penosas recomendações. Rompendo o silêncio que se fizera, João ponderou:

— Oremos e vigiemos, de acordo com a recomendação do Mestre, pois, se Ele aqui nos trouxe, apenas nós três, em sua companhia, isso deve significar para o nosso espírito a grandeza da sua confiança em nosso auxílio.

Puseram-se a meditar silenciosamente. Entretanto, sem que lograssem explicar o motivo, adormeceram no decurso da oração.

Passados alguns minutos, acordaram, ouvindo o Mestre que lhes observava:

— Despertai! Não vos recomendei que vigiásseis? Não podereis velar comigo, um minuto?

João e os companheiros esfregaram os olhos, reconhecendo a própria falta. Então, Jesus, cujo olhar parecia iluminado por estranho fulgor, lhes contou que fora visitado por um anjo de Deus, que o confortara para o martírio supremo. Mais uma vez lhes pediu que orassem com o coração e novamente se afastou. Contudo, os discípulos, insensivelmente, cedendo aos imperativos do corpo e olvidando as necessidades do espírito, de novo adormeceram em meio da meditação. Despertaram com o Mestre a lhes repetir:

— Não conseguistes, então, orar comigo?

Os três discípulos acordaram estremunhados. A paisagem desolada de Jerusalém mergulhava na sombra.

Antes, porém, que pudessem justificar de novo a sua falta, um grupo de soldados e populares aproximou-se, vindo Judas à frente.

O filho de Iscariotes avançou e depôs na fronte do Mestre o beijo combinado, ao passo que Jesus, sem denotar nenhuma fraqueza e deixando a lição de sua coragem e de seu afeto aos companheiros, perguntou:

— Amigo, a que vieste?

Sua interrogação, todavia, não recebeu qualquer resposta. Os mensageiros dos sacerdotes prenderam-no e lhe manietaram as mãos, como se o fizessem a um salteador vulgar.

~

Depois das cenas descritas com fidelidade nos Evangelhos, observamos as disposições psicológicas dos discípulos, no momento doloroso. Pedro e João foram os últimos a se separarem do Mestre bem-amado, depois de tentarem fracos esforços pela sua libertação.

No dia seguinte, os movimentos criminosos da turba arrefeceram o entusiasmo e o devotamento dos companheiros mais enérgicos e decididos na fé. As penas impostas a Jesus eram excessivamente severas para que fossem tentados a segui-lo. Da Corte Provincial ao palácio de Ântipas, viu-se o condenado exposto ao insulto e à zombaria. Com exceção do filho de Zebedeu, que se conservou ao lado de Maria até o instante derradeiro, todos os que integravam o reduzido colégio do Senhor debandaram. Receosos da perseguição, alguns se ocultavam nos sítios próximos, enquanto outros, trocando as túnicas habituais, seguiam, de longe, o inesquecível cortejo, vacilando entre a dedicação e o temor.

O Messias, no entanto, coroando a sua obra com o sacrifício máximo, tomou a cruz sem uma queixa, deixando-se imolar, sem qualquer reprovação aos que o haviam abandonado na hora última. Conhecendo que cada criatura tem o seu instante de testemunho, no caminho de redenção da existência, observou às piedosas mulheres que o cercavam, banhadas em lágrimas:

— Filhas de Jerusalém, não choreis por mim; chorai por vós mesmas e por vossos filhos!...

Exemplificando a sua fidelidade a Deus, aceitou serenamente os desígnios do Céu, sem que uma expressão menos branda contradissesse a sua tarefa purificadora.

Apesar da demonstração de heroísmo e de inexcedível amor, que ofereceu do cimo do madeiro, os discípulos continuaram subjugados pela dúvida e pelo temor, até que a ressurreição lhes trouxesse incomparáveis hinos de alegria.

João, todavia, em suas meditações acerca do Messias, entrou a refletir maduramente sobre a oração do Horto das Oliveiras, perguntando a si próprio a razão daquele sono inesperado, quando desejava atender ao desejo de Jesus, orando em seu espírito até o fim das provas ríspidas. Por que dormira ele, que tanto o amava, no momento em que o seu coração amoroso mais necessitava de assistência e de afeto? Por que não acompanhara Jesus naquela prece derradeira, onde sua alma parecia apunhalada por intraduzível angústia, nas mais dolorosas expectativas? A visão do Cristo ressuscitado veio encontrá-lo absorto nesses amargurados pensamentos. Em oração silenciosa, João se dirigia muitas vezes ao Mestre Adorado, quase em lágrimas, implorando-lhe perdoasse o seu descuido da hora extrema.

Algum tempo passou, sem que o filho de Zebedeu conseguisse esquecer a falta de vigilância da véspera do martírio.

Certa noite, após as reflexões costumeiras, sentiu ele que um sono brando lhe anestesiava os centros vitais. Como numa atmosfera de sonho, verificou que o Mestre se aproximava. Toda a sua figura se destacava na sombra, com divino resplendor. Precedendo suas palavras do sereno sorriso dos tempos idos, disse-lhe Jesus:

— João, a minha soledade no horto é também um ensinamento do Evangelho e uma exemplificação! Ela significará, para quantos vierem em nossos passos, que cada espírito na Terra tem de ascender sozinho ao calvário de sua redenção, muitas vezes com a despreocupação dos entes mais amados do mundo. Em face dessa lição, o discípulo do futuro compreenderá que a sua marcha tem que ser solitária, uma vez que seus familiares e companheiros de confiança se entregam ao sono da indiferença! Doravante, pois, aprendendo a necessidade do valor individual no testemunho, nunca deixes de orar e vigiar!...

~ 28 ~
O bom ladrão

Alguns dias antes da prisão do Mestre, os discípulos, nas suas discussões naturais, comentavam o problema da fé, com desejo desordenado de quantos se atiram aos assuntos graves da vida, tentando, apressadamente, forçar uma solução.

— Como será essa virtude? De que modo conservá-la-emos intacta no coração? — inquiria Levi, com atormentado pensamento. — Tenho a convicção de que somente o homem culto pode conhecer toda a extensão de seus benefícios.

— Não tanto assim — aventava Tiago, seu irmão —, acredito que basta a nossa vontade, para que a confiança em Deus esteja viva em nós.

— Mas a fé será virtude para os que apenas desejam? — perguntava um dos filhos de Zebedeu.

A um canto, como distante daqueles duelos da palavra, Jesus parecia meditar. Em dado instante, solicitado ao esclarecimento, respondeu com suavidade:

— A fé pertence, sobretudo, aos que trabalham e confiam. Tê-la no coração é estar sempre pronto para Deus. Não importam a saúde ou a enfermidade do corpo, não têm significação os infortúnios ou os sucessos felizes da vida material. A alma fiel trabalha confiante nos desígnios do Pai, que pode dar os bens, retirá-los e restituí-los em tempo oportuno, e caminha sempre com serenidade e amor, por todas as sendas pelas quais a mão generosa do Senhor a queira conduzir.

— Mas, Mestre — redarguiu Levi, em respeitosa atitude —, como discernir a vontade de Deus, naquilo que nos acontece? Tenho observado grande número de criaturas criminosas que atribuem à Providência os seus feitos delituosos e uma legião de pessoas inertes que classificam a preguiça como fatalidade divina.

— A vontade de Deus, além da que conhecemos através da sua lei e de seus profetas, através do conselho sábio e das inclinações naturais para o bem, é também a que se manifesta, a cada instante da vida, misturando a alegria com as amarguras, concedendo a doçura ou retirando-a, para que a criatura possa colher a experiência luminosa no caminho mais espinhoso. Ter fé, portanto, é ser fiel a essa vontade, em todas as circunstâncias, executando o bem que ela nos determina e seguindo-lhe o roteiro sagrado, nas menores sinuosidades da estrada que nos compete percorrer.

— Entretanto — observou Tomé —, creio que essa qualidade excepcional deve ser atributo do espírito mais cultivado, porque o homem ignorante não poderá cogitar da aquisição de semelhante patrimônio.

O Mestre fitou o Apóstolo com amor e esclareceu:

— Todo homem de fé será, agora ou mais tarde, o irmão dileto da sabedoria e do sentimento; porém, essa qualidade será sempre a do filho leal ao Pai que está nos céus.

O discípulo sorriu e obtemperou:

— Todavia, quem possuirá no mundo lealdade perfeita como essa?

— Ninguém pode julgar em absoluto — disse o Cristo com bondade —, a não ser o critério definitivo de Deus; mas, se essa conquista da alma não é comum às criaturas de conhecimento parco ou de posição vulgar, é bem possível que a encontremos no peito exausto dos mais infelizes ou desclassificados do mundo.

O Apóstolo sorriu desapontado, no seu ceticismo de homem prático. Dentro em pouco, a pequena comunidade se dispersava, à aproximação do manto escuro da noite.

～

Na hora sombria da cruz, disfarçado com vestes diferentes, Tomé acompanhou, passo a passo, o corajoso Messias.

Estranhas reflexões surgiam-lhe no espírito. Sua razão de homem do mundo não lhe proporcionava elementos para a compreensão da verdade toda. Onde estava aquele Deus amoroso e bom, sobre quem repousavam as suas esperanças? Seu amor possuiria apenas uma cruz para oferecer ao Filho dileto? Por que motivo não se rasgavam os horizontes, para que as legiões dos anjos salvassem do crime da multidão inconsciente e furiosa o Mestre amado? Que Providência era aquela que se não manifestava no momento oportuno? Durante três anos consecutivos haviam acreditado que Deus guardava todo o poder sobre o mundo; não conseguia, pois, explicar como tolerava aquele espetáculo sangrento de ser o seu Enviado, amorável e carinhoso, conduzido para o madeiro infamante, sob impropérios e pedradas. O prêmio do Cristo era então aquele monte da desolação, reservado aos criminosos?

Ansioso, o discípulo contemplou aquelas mãos que haviam semeado o bem e o amor, agora agarradas à cruz como duas flores ensanguentadas. A fronte aureolada de espinhos era uma nota irônica na sua figura sublime e respeitável. Seu peito tremia, ofegante, seus ombros deveriam estar pisados e doloridos. Valera a pena haver distribuído, entre os homens, tantas graças do Céu?

O malfeitor que assaltava o próximo era, agora, a seu ver, o dono de mais duradouras compensações.

Tomé se sentia como que afogado. Desejou encontrar algum dos companheiros para trocar impressões, entretanto, não viu um só deles. Procurou observar se os beneficiados pelo Messias assistiam ao seu martírio humilhante, na hora final, lembrando que ainda na véspera se mostravam tão reconhecidos e felizes com a sua santa presença. A ninguém encontrou. Aqueles leprosos que haviam recuperado o dom precioso da saúde, os cegos que conseguiram rever o quadro caricioso da vida, os aleijados que haviam cantado hosanas à cura de seus corpos defeituosos, estavam agora ausentes, fugiam ao testemunho. Valera a pena praticar o bem? O apóstolo, mergulhado em dolorosos e sombrios pensamentos, se deixava absorver em estranhas interrogações.

Reparou que em torno da cruz estrugiam gargalhadas e ironias. O Mestre, contudo, guardava no semblante uma serenidade inexcedível. De vez em quando, seu olhar se alongava por sobre a multidão, como querendo descobrir um rosto amigo.

Sob as vociferações da turba amotinada, a Tomé parecia-lhe escutar ainda o ruído inolvidável dos cravos do suplício. Enquanto as lanças e os vitupérios se cruzaram nos ares, fixou os dois malfeitores que a justiça do mundo havia condenado à pena última. Aproximou-se da cruz e notou que o Messias punha nele os olhos amorosos, como nos tempos mais tranquilos. Viu que um suor empastado de sangue lhe corria do rosto venerável, misturando-se com o vermelho das chagas vivas e dolorosas. Com aquele olhar inesquecível, Jesus lhe mostrou as úlceras abertas, como o sinal do sacrifício. O discípulo experimentou penosa emoção a lhe dominar a alma sensível. Olhos enevoados de pranto, recordou os dias radiosos do Tiberíades.

As cenas mais singelas do apostolado ressurgiam ante a sua imaginação. Subitamente, lembrou-se da tarde em que haviam comentado o problema da fé, parecendo-lhe ouvir ainda as elucidações do Mestre, com respeito à perfeita lealdade a Deus. Reflexões instantâneas lhe empolgaram o coração. Quem teria sido mais fiel ao Pai do que Jesus? Entretanto, a sua recompensa era a cruz do martírio! Absorto em singulares pensamentos, o Apóstolo observou que o Messias lançava agora os olhos enternecidos sobre um dos ladrões, que o fixava afetuosamente.

Nesse instante, percebeu que a voz débil do celerado se elevava para o Mestre, em tom de profunda sinceridade:

— Senhor! — disse ele, ofegante — lembra-te de mim, quando entrares no teu reino!...

O discípulo reparou que Jesus lhe endereçava, então, o olhar caricioso, ao mesmo tempo que aos seus ouvidos chegavam os ecos de sua palavra suave e esclarecedora:

— Vês, Tomé? Quando todos os homens da lei não me compreenderam e quando os meus próprios discípulos me abandonaram, eis que encontro a confiança leal no peito de um ladrão!...

~

Inquieto, o discípulo meditou na lição recebida e, horas a fio, contemplou o espetáculo penoso, até ao momento em que o Mestre foi retirado da cruz da derradeira agonia. Começava, então, a compreender a essência profunda de seus ensinos imortais.

Como se o seu Espírito fora transportado ao cume de alto monte, pareceu-lhe observar daí a pesada marcha humana. Viu conspícuos[31] homens da lei, sobraçando os livros divinos; doutores enfatuados de orgulho passavam eretos, exibindo os mais complicados raciocínios. Homens de convicções sólidas integravam o quadro, entremostrando a fisionomia satisfeita. Mulheres vaidosas ou fanáticas lá iam, igualmente, revelando seus títulos diletos. Em seguida, vinham os diretamente beneficiados pelo Mestre Divino. Era a legião dos que se haviam levantado da

---

[31] N.E.: Notável, vistoso; claramente visível; facilmente notado; que salta à vista.

miséria física e das ruínas morais. Eram os leprosos de Jerusalém, os cegos de Cafarnaum, os doentes de Sídon, os seguidores aparentemente mais sinceros, ao lado dos próprios discípulos que desfilavam, envergonhados, e se dispersavam, indecisos, na hora extrema.

Possuído de viva emoção, Tomé se pôs a chorar intimamente. Foi então que presumiu escutar uns passos delicados e quase imperceptíveis. Sem poder explicar o que se dava, julgou divisar, a seu lado, a inolvidável figura do Mestre, que lhe colocou as mãos leves e amigas sobre a fronte atormentada, repetindo-lhe ao coração as palavras que lhe havia endereçado da cruz:

— Vês, Tomé? Quando todos os homens da lei não me compreenderam e os próprios discípulos me abandonaram, eis que encontro a confiança leal no peito de um ladrão!...

~ 29 ~
Os quinhentos da Galileia

Depois do Calvário, verificadas as primeiras manifestações de Jesus no cenáculo singelo de Jerusalém, apossara-se de todos os amigos sinceros do Messias uma saudade imensa de sua palavra e de seu convívio. A maioria deles se apegava aos discípulos, como querendo reter as últimas expressões de sua mensagem carinhosa e imortal.

O ambiente era um repositório vasto de adoráveis recordações. Os que eram agraciados com as visões do Mestre se sentiam transbordantes das mais puras alegrias. Os companheiros inseparáveis e íntimos se entretinham em longos comentários sobre as suas reminiscências inapagáveis.

Foi quando Simão Pedro e alguns outros salientaram a necessidade do regresso a Cafarnaum, para os labores indispensáveis da vida.

Em breves dias, as velhas redes mergulhavam de novo no Tiberíades, por entre as cantigas rústicas dos pescadores.

Cada onda mais larga e cada detalhe do serviço sugeriam recordações sempre vivas no tempo. As refeições ao ar livre lembravam o contentamento de Jesus ao partir o pão; o trabalho, quando mais intenso, como que avivava a sua recomendação de bom ânimo; a noite silenciosa reclamava a sua bênção amiga.

Embebidos na poesia da Natureza, os Apóstolos organizavam os mais elevados projetos, com relação ao futuro do Evangelho. A residência modesta de Cefas, obedecendo às tradições dos primitivos ensinamentos, continuava a ser o parlamento amistoso, onde cada um expunha os seus princípios e as suas confidências mais recônditas. No entanto, ao pé do monte, onde o Cristo se fizera ouvir algumas vezes, exalçando as belezas do Reino de Deus e da sua justiça, reuniam-se invariavelmente todos os antigos seguidores mais fiéis, que se haviam habituado ao doce alimento de sua palavra inesquecível. Os discípulos não eram estranhos a essas rememorações carinhosas e, ao cair da tarde, acompanhavam a pequena corrente popular pela via das recordações afetuosas.

Falava-se vagamente de que o Mestre voltaria ao monte para despedir-se. Alguns dos Apóstolos aludiam às visões em que o Senhor prometia fazer de novo ouvida a sua palavra num dos lugares prediletos das suas pregações de outros tempos.

Numa tarde de azul profundo, a reduzida comunidade de amigos do Messias, ao lado da pequena multidão, reuniu-se em preces, no sítio solitário. João havia comentado as promessas do Evangelho, enquanto na encosta se amontoava a assembleia dos fiéis seguidores do Mestre. Viam-se, ali, algumas centenas de rostos embevecidos e ansiosos. Eram romanos de mistura com judeus desconhecidos, mulheres humildes conduzindo os filhos pobres e descalços, velhos respeitáveis, cujos cabelos alvejavam da neve dos repetidos invernos da vida.

~

Nesse dia, como que a antiga atmosfera se fazia sentir mais fortemente. Por instinto, todos tinham a impressão de que o

Mestre voltaria a ensinar as bem-aventuranças celestiais. Os ventos recendiam suave perfume, trazendo as harmonias do lago próximo. Do céu muito azul, como em festa para receber a claridade das primeiras estrelas, parecia descer uma tranquilidade imensa que envolvia todas as coisas. Foi nesse instante, de indizível grandiosidade, que a figura do Cristo assomou no cume iluminado pelos derradeiros raios do sol.

Era Ele.

Seu sorriso desabrochava tão meigo, como ao tempo glorioso de suas primeiras pregações, mas de todo o seu vulto se irradiava luz tão intensa que os mais fortes dobraram os joelhos. Alguns soluçavam de júbilo, presas das emoções mais belas de sua vida. As mãos do Mestre tomavam a atitude de quem abençoava, enquanto um divino silêncio parecia penetrar a alma das coisas. A palavra articulada não tomou parte naquele banquete de luz imaterial; todos, porém, lhe perceberam a amorosa despedida e, no mais íntimo da alma, lhe ouviram a exortação magnânima e profunda:

— Amados — a cada um se afigurou escutar na câmara secreta do coração —, eis que retomo a vida em meu Pai para regressar à luz do meu reino!... Enviei meus discípulos como ovelhas ao meio de lobos e vos recomendo que lhes sigais os passos no escabroso caminho. Depois deles, é a vós que confio a tarefa sublime da redenção pelas verdades do Evangelho. Eles serão os semeadores, vós sereis o fermento divino. Instituo-vos os primeiros trabalhadores, os herdeiros iniciais dos bens divinos. Para entrardes na posse desse tesouro celestial, muita vez experimentareis o martírio da cruz e o fel da ingratidão... Em conflito permanente com o mundo, estareis na Terra, fora de suas leis implacáveis e egoísticas, até que as bases do meu reino de concórdia e justiça se estabeleçam no espírito das criaturas. Negai-vos a vós mesmos, como neguei a minha própria vontade na execução dos desígnios de Deus, e tomai a vossa cruz para seguir-me.

"Séculos de luta vos esperam na estrada universal. É preciso imunizar o coração contra todos os enganos da vida transitória, para a soberana grandeza da vida imortal. Vossas sendas estarão repletas de fantasmas de aniquilamento e de visões de morte. O mundo inteiro se levantará contra vós, em obediência espontânea às forças tenebrosas do mal, que ainda lhe dominam as fronteiras. Sereis escarnecidos e aparentemente desamparados; a dor vos assolará as esperanças mais caras; andareis esquecidos na Terra, em supremo abandono do coração. Não participareis do venenoso banquete das posses materiais, sofrereis a perseguição e o terror, tereis o coração coberto de cicatrizes e de ultrajes. A chaga é o vosso sinal; a coroa de espinhos, o vosso símbolo; a cruz, o recurso ditoso da redenção. Vossa voz será a do deserto, provocando, muitas vezes, o escárnio e a negação da parte dos que dominam na carne perecível.

"Mas, no desenrolar das batalhas, sem sangue, do coração, quando todos os horizontes estiverem abafados pelas sombras da crueldade, dar-vos-ei da minha paz, que representa a água viva. Na existência ou na morte do corpo, estareis unidos ao meu reino. O mundo vos cobrirá de golpes terríveis e destruidores, mas, de cada uma das vossas feridas, retirarei o trigo luminoso para os celeiros infinitos da graça, destinados ao sustento das mais ínfimas criaturas!... Até que o meu reino se estabeleça na Terra, não conhecereis o amor no mundo; eu, no entanto, encherei a vossa solidão com a minha assistência incessante. Gozarei em vós, como gozareis em mim, o júbilo celeste da execução fiel dos desígnios de Deus. Quando tombardes, sob as arremetidas dos homens ainda pobres e infelizes, eu vos levantarei no silêncio do caminho, com as minhas mãos dedicadas ao vosso bem. Sereis a união onde houver separatividade, sacrifício onde existir o falso gozo, claridade onde campearem as trevas, porto amigo, edificado na rocha da fé viva, onde pairarem as sombras da desorientação. Sereis meu refúgio nas igrejas mais estranhas da Terra, minha esperança entre as loucuras humanas, minha verdade onde se perturbe a ciência incompleta do mundo!...

"Amados, eis que também vos envio como ovelhas aos caminhos obscuros e ásperos. Entretanto, nada temais! Sede fiéis ao meu coração, como vos sou fiel, e o bom ânimo representará a vossa estrela! Ide ao mundo, onde teremos de vencer o mal! Aperfeiçoemos a nossa escola milenária, para que aí seja interpretada e posta em prática a lei de amor do nosso Pai, em obediência feliz à sua vontade augusta!"

Sagrada emoção senhoreara-se das almas em êxtase de ventura. Foi então que observaram o Mestre, rodeado de luz, como a elevar-se ao Céu, em demanda de sua gloriosa esfera do Infinito.

~

Os primeiros astros da noite brilhavam no alto, como flores radiosas do Paraíso. No monte galileu, cinco centenas de corações palpitavam, arrebatados por intraduzível júbilo. Velhos trêmulos e encarquilhados desceram a encosta, unidos uns aos outros, como solidários para sempre, no mesmo trabalho de grandeza imperecível. Anciãs de passo vacilante, coroadas pela neve das experiências da vida, abraçavam-se às filhas e netas, jovens e ditosas, tomadas de indefinível embriaguez da alma. Romanos e judeus, ricos e pobres, confraternizavam felizes, adivinhando a necessidade de cooperação na tarefa santa. Os antigos discípulos, cercando a figura de Simão Pedro, choravam de contentamento e esperança.

Naquela noite de imperecível recordação, foi confiado aos quinhentos da Galileia o serviço glorioso da evangelização das coletividades terrestres, sob a inspiração de Jesus Cristo. Mal sabiam eles, na sua mísera condição humana, que a palavra do Mestre alcançaria os séculos do porvir. E foi assim que, representando o fermento renovador do mundo, eles reencarnaram em todos os tempos, nos mais diversos climas religiosos e políticos do planeta, ensinando a Verdade e abrindo novos caminhos de luz, por meio dos bastidores eternos do tempo.

Foram eles os primeiros a transmitir a sagrada vibração de coragem e confiança aos que tombaram nos campos do martírio, semeando a fé no coração pervertido das criaturas. Nos circos da vaidade humana, nas fogueiras e nos suplícios, ensinaram a lição de Jesus, com resignado heroísmo. Nas Artes e nas Ciências, plantaram concepções novas de desprendimento do mundo e de belezas do Céu e, no seio das mais variadas religiões da Terra, continuam revelando o desejo do Cristo, que é de união e de amor, de fraternidade e concórdia.

Na qualidade de discípulos sinceros e bem-amados, desceram aos abismos mais tenebrosos, redimindo o mal com os seus sacrifícios purificadores, convertendo, com as luzes do Evangelho, à corrente da redenção, os Espíritos mais empedernidos. Abandonados e desprotegidos na Terra, eles passam, edificando no silêncio as magnificências do Reino de Deus, nos países dos corações e, multiplicando as notas de seu cântico de glória por entre os que se constituem instrumentos sinceros do bem com Jesus Cristo, formam a caravana sublime que nunca se dissolverá.

~ 30 ~
Maria

Junto da cruz, o vulto agoniado de Maria produzia dolorosa e indelével impressão. Com o pensamento ansioso e torturado, olhos fixos no madeiro das perfídias humanas, a ternura materna regredia ao passado em amarguradas recordações. Ali estava, na hora extrema, o filho bem-amado.

Maria deixava-se ir na corrente infinda das lembranças. Eram as circunstâncias maravilhosas em que o nascimento de Jesus lhe fora anunciado, a amizade de Isabel, as profecias do velho Simeão, reconhecendo que a assistência de Deus se tornara incontestável nos menores detalhes de sua vida. Naquele instante supremo, revia a manjedoura, na sua beleza agreste, sentindo que a Natureza parecia desejar redizer aos seus ouvidos o cântico de glória daquela noite inolvidável. Por meio do véu espesso das lágrimas, repassou, uma por uma, as cenas da infância do filho estremecido, observando o alarma interior das mais doces reminiscências.

Nas menores coisas, reconhecia a intervenção da Providência Celestial; entretanto, naquela hora, seu pensamento vagava também pelo vasto mar das mais aflitivas interrogações.

Que fizera Jesus por merecer tão amargas penas? Não o vira crescer de sentimentos imaculados, sob o calor de seu coração? Desde os mais tenros anos, quando o conduzia à fonte tradicional de Nazaré, observava o carinho fraterno que dispensava a todas as criaturas. Frequentemente, ia buscá-lo nas ruas empedradas, em que a sua palavra carinhosa consolava os transeuntes desamparados e tristes. Viandantes misérrimos vinham a sua casa modesta louvar o filhinho idolatrado, que sabia distribuir as bênçãos do Céu. Com que enlevo recebia os hóspedes inesperados que suas mãos minúsculas conduziam à carpintaria de José!... Lembrava-se bem de que, um dia, a divina criança guiara à casa dois malfeitores publicamente reconhecidos como ladrões do vale de Mizhep. E era de ver-se a amorosa solicitude com que seu vulto pequenino cuidava dos desconhecidos, como se fossem seus irmãos. Muitas vezes, comentara a excelência daquela virtude santificada, receando pelo futuro de seu adorável filhinho.

Depois do caricioso ambiente doméstico, era a missão celestial, dilatando-se em colheita de frutos maravilhosos. Eram paralíticos que retomavam os movimentos da vida, cegos que se reintegravam nos sagrados dons da vista, criaturas famintas de luz e de amor que se saciavam na sua lição de infinita bondade.

Que profundos desígnios haviam conduzido seu filho adorado à cruz do suplício?

Uma voz amiga lhe falava ao espírito, dizendo das determinações insondáveis e justas de Deus, que precisam ser aceitas para a redenção divina das criaturas. Seu coração rebentava em tempestades de lágrimas irreprimíveis; contudo, no santuário da consciência, repetia a sua afirmação de sincera humildade: "Faça-se na escrava a vontade do Senhor!"

De alma angustiada, notou que Jesus atingira o último limite dos padecimentos inenarráveis. Alguns dos populares mais exaltados multiplicavam as pancadas, enquanto as lanças riscavam o ar, em ameaças audaciosas e sinistras. Ironias mordazes eram proferidas a esmo, dilacerando-lhe a alma sensível e afetuosa.

Em meio a algumas mulheres compadecidas, que lhe acompanhavam o angustioso transe, Maria reparou que alguém lhe pousara as mãos, de leve, sobre os ombros.

Deparou-se-lhe a figura de João que, vencendo a pusilanimidade criminosa em que haviam mergulhado os demais companheiros, lhe estendia os braços amorosos e reconhecidos. Silenciosamente, o filho de Zebedeu abraçou-se àquele triturado coração maternal. Maria deixou-se enlaçar pelo discípulo querido e ambos, ao pé do madeiro, em gesto súplice, buscaram ansiosamente a luz daqueles olhos misericordiosos, no cúmulo dos tormentos. Foi aí que a fronte do divino supliciado se moveu vagarosamente, revelando perceber a ansiedade daquelas duas almas em extremo desalento.

— Meu filho! Meu amado filho!... — exclamou a mártir, em aflição diante da serenidade daquele olhar de melancolia intraduzível.

O Cristo pareceu meditar no auge de suas dores, mas, como se quisesse demonstrar, no instante derradeiro, a grandeza de sua coragem e a sua perfeita comunhão com Deus, replicou com significativo movimento dos olhos vigilantes:

— Mãe, eis aí teu filho!... — e, dirigindo-se, de modo especial, com um leve aceno, ao Apóstolo, disse: — Filho, eis aí tua mãe!

Maria envolveu-se no véu de seu pranto doloroso, mas o grande evangelista compreendeu que o Mestre, na sua derradeira lição, ensinava que o amor universal era o sublime coroamento de sua obra. Entendeu que, no futuro, a claridade do Reino de Deus revelaria aos homens a necessidade da cessação de todo egoísmo e que, no santuário de cada coração, deveria existir a mais abundante cota de amor, não só para o círculo familiar, senão também para todos os necessitados do mundo, e que no templo de cada habitação permaneceria a fraternidade real, para que a assistência recíproca se praticasse na Terra, sem serem precisos os edifícios exteriores, consagrados a uma solidariedade claudicante.

Por muito tempo, conservaram-se ainda ali, em preces silenciosas, até que o Mestre, exânime, fosse arrancado à cruz, antes que a tempestade mergulhasse a paisagem castigada de Jerusalém num dilúvio de sombras.

~

Após a separação dos discípulos, que se dispersaram por lugares diferentes, para a difusão da Boa-Nova, Maria retirou-se para a Bataneia, onde alguns parentes mais próximos a esperavam com especial carinho.

Os anos começaram a rolar, silenciosos e tristes, para a angustiada saudade de seu coração.

Tocada por grandes dissabores, observou que, em tempo rápido, as lembranças do filho amado se convertiam em elementos de ásperas discussões entre os seus seguidores. Na Bataneia, pretendia-se manter uma certa aristocracia espiritual, por efeito dos laços consanguíneos que ali a prendiam, em virtude dos elos que a ligavam a José. Em Jerusalém, digladiavam-se os cristãos e os judeus, com veemência e acrimônia. Na Galileia, os antigos cenáculos simples e amoráveis da Natureza estavam tristes e desertos.

Para aquela mãe amorosa, cuja alma digna observava que o vinho generoso de Caná se transformara no vinagre do martírio, o tempo assinalava sempre uma saudade maior no mundo e uma esperança cada vez mais elevada no Céu.

Sua vida era uma devoção incessante ao rosário imenso da saudade, às lembranças mais queridas. Tudo que o passado feliz edificara em seu mundo interior revivia na tela de suas lembranças, com minúcias somente conhecidas do amor, e lhe alimentavam a seiva da vida.

Relembrava o seu Jesus pequenino, como naquela noite de beleza prodigiosa, em que o recebera nos braços maternais, iluminado pelo mais doce mistério. Figurava-se-lhe escutar ainda o balido das ovelhas que vinham, apressadas, acercar-se do berço que se formara de improviso. E aquele primeiro beijo, feito de carinho e de luz? As reminiscências envolviam a realidade longínqua de singulares belezas para o seu coração sensível e generoso. Em seguida, era o rio das recordações desaguando, sem cessar, na sua alma rica de sentimentalidade e ternura. Nazaré lhe voltava à imaginação, com as suas paisagens de felicidade e de luz. A casa singela, a fonte amiga, a sinceridade das afeições, o lago majestoso e, no meio de todos os detalhes, o filho adorado, trabalhando e amando, no erguimento da mais elevada concepção de Deus, entre os homens da Terra. De vez em quando, parecia vê-lo em seus sonhos repletos de esperança. Jesus lhe prometia o júbilo encantador de sua presença e participava da carícia de suas recordações.

A esse tempo, o filho de Zebedeu, tendo presentes as observações que o Mestre lhe fizera da cruz, surgiu na Bataneia, oferecendo àquele Espírito saudoso de mãe o refúgio amoroso de sua proteção. Maria aceitou o oferecimento, com satisfação imensa.

E João lhe contou a sua nova vida. Instalara-se definitivamente em Éfeso, onde as ideias cristãs ganhavam terreno entre almas devotadas e sinceras. Nunca olvidara as recomendações do Senhor e, no íntimo, guardava aquele título de filiação como das mais altas expressões de amor universal para com aquela que recebera o Mestre nos braços veneráveis e carinhosos.

Maria escutava-lhe as confidências, num misto de reconhecimento e de ventura.

João continuava a expor-lhe os seus planos mais insignificantes. Levá-la-ia consigo, andariam ambos na mesma associação de interesses espirituais. Seria seu filho desvelado, enquanto receberia de sua alma generosa a ternura maternal, nos trabalhos do Evangelho. Demorara-se a vir, explicava o filho de Zebedeu, porque lhe faltava uma choupana, onde se pudessem abrigar;

entretanto, um dos membros da família real de Adiabene, convertido ao amor do Cristo, lhe doara uma casinha pobre, ao sul de Éfeso, distando três léguas aproximadamente da cidade. A habitação simples e pobre demorava num promontório, de onde se avistava o mar. No alto da pequena colina, distante dos homens e no altar imponente da Natureza, se reuniriam ambos para cultivar a lembrança permanente de Jesus. Estabeleceriam um pouso e refúgio aos desamparados, ensinariam as verdades do Evangelho a todos os espíritos de boa vontade e, como mãe e filho, iniciariam uma nova era de amor, na comunidade universal.

Maria aceitou alegremente.

Dentro de breve tempo, instalaram-se no seio amigo da Natureza, em frente do oceano. Éfeso ficava pouco distante, porém todas as adjacências se povoavam de novos núcleos de habitações alegres e modestas. A casa de João, ao cabo de algumas semanas, se transformou num ponto de assembleias adoráveis, onde as recordações do Messias eram cultuadas por espíritos humildes e sinceros.

Maria externava as suas lembranças. Falava dele com maternal enternecimento, enquanto o Apóstolo comentava as verdades evangélicas, apreciando os ensinos recebidos. Vezes inúmeras, a reunião somente terminava noite alta, quando as estrelas tinham maior brilho. E não foi só. Decorridos alguns meses, grandes fileiras de necessitados acorriam ao sítio singelo e generoso. A notícia de que Maria descansava, agora, entre eles, espalhara um clarão de esperança por todos os sofredores. Ao passo que João pregava na cidade as verdades de Deus, ela atendia, no pobre santuário doméstico, aos que a procuravam exibindo-lhe suas úlceras e necessidades.

Sua choupana era, então, conhecida pelo nome de "Casa da Santíssima".

O fato tivera origem em certa ocasião, quando um miserável leproso, depois de aliviado em suas chagas, lhe osculou as mãos, reconhecidamente murmurando:

— Senhora, sois a mãe de nosso Mestre e nossa Mãe Santíssima!

A tradição criou raízes em todos os espíritos. Quem não lhe devia o favor de uma palavra maternal nos momentos mais duros? E João consolidava o conceito, acentuando que o mundo lhe seria eternamente grato, pois fora pela sua grandeza espiritual que o Emissário de Deus pudera penetrar a atmosfera escura e pestilenta do mundo para balsamizar os sofrimentos da criatura. Na sua humildade sincera, Maria se esquivava às homenagens afetuosas dos discípulos de Jesus, mas aquela confiança filial com que lhe reclamavam a presença era para sua alma um brando e delicioso tesouro do coração. O título de maternidade fazia vibrar em seu espírito os cânticos mais doces. Diariamente, acorriam os desamparados, suplicando a sua assistência espiritual. Eram velhos trôpegos e desenganados do mundo, que lhe vinham ouvir as palavras confortadoras e afetuosas, enfermos que invocavam a sua proteção, mães infortunadas que pediam a bênção de seu carinho.

— Minha mãe — dizia um dos mais aflitos —, como poderei vencer as minhas dificuldades? Sinto-me abandonado na estrada escura da vida...

Maria lhe enviava o olhar amoroso da sua bondade, deixando nele transparecer toda a dedicação enternecida de seu espírito maternal.

— Isso também passa! — dizia ela, carinhosamente — só o Reino de Deus é bastante forte para nunca passar de nossas almas, como eterna realização do amor divino.

Seus conceitos abrandavam a dor dos mais desesperados, desanuviavam o pensamento obscuro dos mais acabrunhados.

A igreja de Éfeso exigia de João a mais alta expressão de sacrifício pessoal, pelo que, com o decorrer do tempo, quase sempre Maria estava só, quando a legião humilde dos necessitados descia o promontório desataviado, rumo aos lares mais confortados e felizes. Os dias e as semanas, os meses e os anos passaram incessantes, trazendo-lhe as lembranças mais ternas. Quando sereno e azulado, o mar lhe fazia voltar à memória o Tiberíades distante. Surpreendia no ar aqueles perfumes vagos que enchiam a alma da tarde, quando seu filho, de quem nem um instante se esquecia, reunindo os discípulos amados, transmitia ao coração do povo as louçanias da Boa-Nova. A velhice não lhe acarretara nem cansaços nem amarguras. A certeza da proteção divina lhe proporcionava ininterrupto consolo. Como quem transpõe o dia em labores honestos e proveitosos, seu coração experimentava grato repouso, iluminado pelo luar da esperança e pelas estrelas fulgurantes da crença imorredoura. Suas meditações eram suaves colóquios com as reminiscências do filho muito amado.

Súbito recebeu notícias de que um período de dolorosas perseguições se havia aberto para todos os que fossem fiéis à doutrina do seu Jesus Divino. Alguns cristãos banidos de Roma traziam a Éfeso as tristes informações. Em obediência aos éditos mais injustos, escravizavam-se os seguidores do Cristo, destruíam-se-lhes os lares, metiam-nos a ferros nas prisões. Falava-se de festas públicas, em que seus corpos eram dados como alimento a feras insaciáveis, em horrendos espetáculos.

Então, num crepúsculo estrelado, Maria entregou-se às orações, como de costume, pedindo a Deus por todos aqueles que se encontrassem em angústias do coração, por amor de seu filho.

Embora a soledade do ambiente, não se sentia só: uma como força singular lhe banhava a alma toda. Aragens suaves sopravam do oceano, espalhando os aromas da noite que se povoava de astros amigos e afetuosos e, em poucos minutos, a Lua plena participava, igualmente, desse concerto de harmonia e de luz.

Enlevada nas suas meditações, Maria viu aproximar-se o vulto de um pedinte.

— Minha mãe — exclamou o recém-chegado, como tantos outros que recorriam ao seu carinho —, venho fazer-te companhia e receber a tua bênção.

Maternalmente, ela o convidou a entrar, impressionada com aquela voz que lhe inspirava profunda simpatia. O peregrino lhe falou do Céu, confortando-a delicadamente. Comentou as bem-aventuranças divinas que aguardam a todos os devotados e sinceros filhos de Deus, dando a entender que lhe compreendia as mais ternas saudades do coração. Maria sentiu-se empolgada por tocante surpresa. Que mendigo seria aquele que lhe acalmava as dores secretas da alma saudosa, com bálsamos tão dulçorosos? Nenhum lhe surgira até então para dar; era sempre para pedir alguma coisa. No entanto, aquele viandante desconhecido lhe derramava no íntimo as mais santas consolações. Onde ouvira aquela voz meiga e carinhosa, noutros tempos?! Que emoções eram aquelas que lhe faziam pulsar o coração de tanta carícia? Seus olhos se umedeceram de ventura, sem que conseguisse explicar a razão de sua terna emotividade.

Foi quando o hóspede anônimo lhe estendeu as mãos generosas e lhe falou com profundo acento de amor:

— Minha mãe, vem aos meus braços!

Nesse instante, fitou as mãos nobres que se lhe ofereciam, num gesto da mais bela ternura. Tomada de comoção profunda, viu nelas duas chagas, como as que seu filho revelava na cruz e, instintivamente, dirigindo o olhar ansioso para os pés do peregrino amigo, divisou também aí as úlceras causadas pelos cravos do suplício. Não pôde mais. Compreendendo a visita amorosa que Deus lhe enviava ao coração, bradou com infinita alegria:

— Meu filho! meu filho! as úlceras que te fizeram!...

E precipitando-se para ele, como mãe carinhosa e desvelada, quis certificar-se, tocando a ferida que lhe fora produzida pelo último lançaço, perto do coração. Suas mãos ternas e solícitas o abraçaram na sombra visitada pelo luar, procurando sofregamente a úlcera que tantas lágrimas lhe provocara ao carinho maternal. A chaga lateral também lá estava, sob a carícia de suas mãos. Não conseguiu dominar o seu intenso júbilo. Num ímpeto de amor, fez um movimento para se ajoelhar. Queria abraçar-se aos pés do seu Jesus e osculá-los com ternura. Ele, porém, levantando-a, cercado de um halo de luz celestial, se lhe ajoelhou aos pés e, beijando-lhe as mãos, disse em carinhoso transporte:

— Sim, minha mãe, sou eu!... Venho buscar-te, pois meu Pai quer que sejas no meu reino a Rainha dos Anjos...

Maria cambaleou, tomada de inexprimível ventura. Queria dizer da sua felicidade, manifestar seu agradecimento a Deus; mas o corpo como que se lhe paralisara, enquanto aos seus ouvidos chegaram os ecos suaves da saudação do Anjo, qual se a entoassem mil vozes cariciosas, por entre as harmonias do Céu.

No outro dia, dois portadores humildes desciam a Éfeso, de onde regressaram com João, para assistir aos últimos instantes daquela que lhes era a devotada Mãe Santíssima.

Maria já não falava. Numa inolvidável expressão de serenidade, por longas horas ainda esperou a ruptura dos derradeiros laços que a prendiam à vida material.

~

A alvorada desdobrava o seu formoso leque de luz quando aquela alma eleita se elevou da Terra, onde tantas vezes chorara de júbilo, de saudade e de esperança. Não mais via seu filho bem-amado, que certamente a esperaria, com as boas-vindas, no seu Reino de Amor; mas, extensas multidões de entidades angélicas a cercavam cantando hinos de glorificação.

Experimentando a sensação de se estar afastando do mundo, desejou rever a Galileia com os seus sítios preferidos. Bastou a manifestação de sua vontade para que a conduzissem à região do lago de Genesaré, de maravilhosa beleza. Reviu todos os quadros do apostolado de seu filho e, só agora, observando do alto a paisagem, notava que o Tiberíades, em seus contornos suaves, apresentava a forma quase perfeita de um alaúde. Lembrou-se, então, de que naquele instrumento da Natureza, Jesus cantara o mais belo poema de vida e amor, em homenagem a Deus e à Humanidade. Aquelas águas mansas, filhas do Jordão marulhoso[32] e calmo, haviam sido as cordas sonoras do cântico evangélico.

Dulcíssimas alegrias lhe invadiam o coração e já a caravana espiritual se dispunha a partir, quando Maria se lembrou dos discípulos perseguidos pela crueldade do mundo e desejou abraçar os que ficariam no vale das sombras, à espera das claridades definitivas do Reino de Deus. Emitindo esse pensamento, imprimiu novo impulso às multidões espirituais que a seguiam de perto. Em poucos instantes, seu olhar divisava uma cidade soberba e maravilhosa, espalhada sobre colinas enfeitadas de carros e monumentos que lhe provocavam assombro. Os mármores mais ricos esplendiam nas magnificentes vias públicas, onde as liteiras patrícias passavam sem cessar, exibindo pedrarias e peles, sustentadas por misérrimos escravos. Mais alguns momentos e seu olhar descobria outra multidão guardada a ferros em escuros calabouços. Penetrou os sombrios cárceres do Esquilino, onde centenas de rostos amargurados retratavam padecimentos atrozes. Os condenados experimentaram no coração um consolo desconhecido.

Maria se aproximou de um a um, participou de suas angústias e orou com as suas preces, cheias de sofrimento e confiança. Sentiu-se mãe daquela assembleia de torturados pela injustiça do mundo. Espalhou a claridade misericordiosa de seu Espírito entre aquelas fisionomias pálidas e tristes. Eram anciães que confiavam no Cristo, mulheres que por Ele haviam desprezado o conforto do lar, jovens que depunham no Evangelho do reino toda a sua esperança. Maria aliviou-lhes o coração e, antes de partir, sinceramente desejou deixar-lhes nos espíritos abatidos uma lembrança perene. Que possuía para lhes dar? Deveria suplicar a Deus para eles a liberdade?! Jesus ensinara, porém, que

---

[32] N.E.: Diz-se do mar agitado pelo marulho; inquieto, que se encontra agitado, tumultuoso.

com Ele todo jugo é suave e todo fardo seria leve, parecendo-lhe melhor a escravidão com Deus do que a falsa liberdade nos desvãos do mundo. Recordou que seu filho deixara a força da oração como um poder incontrastável entre os discípulos amados. Então, rogou ao Céu que lhe desse a possibilidade de deixar entre os cristãos oprimidos a força da alegria. Foi quando, aproximando-se de uma jovem encarcerada, de rosto descarnado e macilento, lhe disse ao ouvido:

— Canta, minha filha! Tenhamos bom ânimo!... Convertamos as nossas dores da Terra em alegrias para o Céu!...

A triste prisioneira nunca saberia compreender o porquê da emotividade que lhe fez vibrar subitamente o coração. De olhos extáticos, contemplando o firmamento luminoso, por meio das grades poderosas, ignorando a razão de sua alegria, cantou um hino de profundo e enternecido amor a Jesus, em que traduzia sua gratidão pelas dores que lhe eram enviadas, transformando todas as suas amarguras em consoladoras rimas de júbilo e esperança. Daí a instantes, seu canto melodioso era acompanhado pelas centenas de vozes dos que choravam no cárcere, aguardando o glorioso testemunho.

Logo, a caravana majestosa conduziu ao Reino do Mestre a bendita entre as mulheres e, desde esse dia, nos tormentos mais duros, os discípulos de Jesus têm cantado na Terra, exprimindo o seu bom ânimo e a sua alegria, guardando a suave herança de nossa Mãe Santíssima.

~

Por essa razão, irmãos meus, quando ouvirdes o cântico nos templos das diversas famílias religiosas do Cristianismo, não vos esqueçais de fazer no coração um brando silêncio, para que a Rosa Mística de Nazaré espalhe aí o seu perfume!

Índice geral [33]

Abandono
  Jesus e – 28
Abraão
  voz de – 4
Abraço
  sorriso e – 9
Adiabene
  membro da família real de – 30
Admiração
  sincera – 9
Adoração
  a Deus – 17
  verdadeira – 17
Adversário
  de Jesus – 10
  do reino – 7
  necessitado – 7
Aflitos
  da Terra – 11
Ágape – 3
Agrado
  a todos – 10

Água
  símbolo da – 19
  vinho e – 12
Água viva
  significado de – 17
Alegria
  amigos e – 12
  boa notícia e – 8
  bom ânimo e – 30
  cântico de – 3
  de ser útil – 9
  de Zaqueu – 23
  força da – 30
  semeador de – 8
Alegria *ver também* Júbilo
Alexandre
  espírito belicoso de – 1
Alimentação
  dos discípulos – 17
Alimento
  de Jesus – 17

---

[33] N.E.: Remete ao número do capítulo.

Índice geral

Ambição
  desmedida – 6
Amigo
  compreensão e – 12
  servo e – 12
  título de – 12
Amizade
  ingratidão e – 12
Amor
  ao reino – 12
  cobre a multidão dos pecados – 20
  de Judas a Jesus – 24
  de Maria de Magdala – 20
  divino – 7
  felicidade e – 4
  justiça e – 14
  mandamento do – 26
  milagre e – 22
  recomendações de – 25
  redenção e – 16
  renúncia e – 12, 20
  reunião da Humanidade pelo – 12
  sede de – 20
  semeadura e – 8
  sinal do – 16
  sublime sobre a Terra – 22
  universal de Jesus – 30
  verdade e – 2, 3
André – 5, 6
  ingenuidade de – 3
André e Simão
  convocação de – 3
Aníbal
  espírito belicoso de – 1
Ânimo
  bom – 8
Anjo
  Jesus e visitado por um – 27
Ântipas
  judeus e funcionários de – 8
  palácio de – 27
  poder político de – 10

Ântipas *ver também* Herodes
Antônio, usurpação de – 1
Apedrejamento
  da pecadora – 13
  mulher pervertida e – 22
Apocalipse
  profecias do – 1
Apóstolos
  discussão entre – 10
  dois novos – 4
Áquila
  abandonado pela própria família – 11
Arábia
  areias ardentes da – 3
Arrependimento
  perdão e – 10
Artes
  valorização das – 1
Ataque
  revide ao – 10
Atenas – 3
Atividade literária
  na Terra – Na escola do Evangelho
Augusto
  época de – 1
  reinado do imperador – 11
Autoiluminação – 7
  Reino de Deus e – 7
Autoridades
  do Templo – 2
Avareza
  consequências da – 6
Barca
  de Simão – 22
Bartolomeu
  Apóstolo – 5, 8
  boa notícia e – 8
  bom ânimo de – Na escola do Evangelho
  conversão de – 8
  irmãos de – 8
  pai de – 8

Índice geral

Bataneia
  Maria – 30
Beijo
  de Judas – 27
Bem
  adversário do – 7
  mal e – 4, 10
  prática do – 28
  vitória do – 1, 7
Bem-aventuranças
  celestiais – 11, 29
Betânia
  casinhas alegres de – 24
Betsaida – 24
  cercanias de – 3
  habitantes de – 11
  negociantes de – 8
Boa-Nova *ver* Evangelho
Boa vontade
  sentimento e – 3
Bodas de Caná – 12
  significado das – 12
Bondade
  imperturbável – 17
  infinita de Jesus – 27
Brandura
  de Jesus – 22
Cafarnaum – 3, 8
  casas de – 3
  cegos de – 28
  centro de – 3
  comércio em – 5
  habitantes de – 11
  nobre dama de – 15
  noite luminosa de – 6
  paisagem de – 12
  pescadores de – 11
  proximidades de – 5
  regresso – 29
  regresso a – 10
  sociedade de – 15

Caifás
  Judas Iscariotes e – 24
  residência de – 26
Cálice – 4
  sofrimento e – 4
Calvário – 24
  após o drama do – 22
  dia do – 10, 12
Camelo
  agulha e – 23
Caminho
  a Verdade e a Vida – 24
  melhor – 17
Caná da Galileia – 3, 5, 8
Canaã – 5
Canto da negação
  Jesus prevê a negação de Pedro – 26
Canto dos cânticos
  bom ânimo e – 30
Caravana
  espiritual – 30
Carpintaria – 2
Casa
  da Santíssima – 30
  de Simão Pedro – 3
  de Zaqueu – 23
  saudação ao entrar em – 5
Causa
  quantidade e qualidade – 4
  testemunho perante a – 5
Ceia
  última – 25
César
  amparo dos protestos de – 24
Cesareia de Filipe – 7, 21
  pregações em – 24
Céu
  mensagem permanente do – 1
  sinal do – 14, 16
  Terra e – 7

Índice geral

Círculo
  disposição em – 18
Cleofas
  parenta de Maria – 5
Colaboração
  dos vencidos do mundo – 11
Coletoria
  de Cafarnaum – 23
  funcionário da – 3
Combate
  bom – 7
Compreensão
  amizade e – 12
Comunhão
  com Deus – 17, 18, 19
  perene – 25
Conciliação
  adversário e – 10
Confiança
  em Jesus – 20
  em si mesmo – 20
Conhecimento
  antecipado de Jesus – 22
  de si mesmo – 16
Consciência
  aprovação legítima da – 10
  pura e paz – 4
  vozes da – 19
Conselheiro XX
  páginas do – Na escola do Evangelho
Consolador
  envio do – 14
  promessa do – 25
  voz do – 19
Consolo
  das lições de Jesus – 11
Contemplação
  fuga do mundo e – 6
Conversão
  dos maus ao bem – 7

Coração
  ansiedade do – 1
Corazim – 6, 24
  habitantes de –11
Cordeiro *ver* Jesus
Cornélio Cimbro
  centurião – 16
Corpo
  pão e * de Jesus – 25
Corte provincial – 27
Corte
  escândalos da – 1
Costumes
  antigos – 22
Criança
  Jesus e João Batista – 2
  Simão, o Zelote e – 9
Crime
  vitória do – 8
Criminologia
  Jesus e reforma da – 13
Criminoso
  reforma definitiva do – 13
Cristão
  ativo – 19
Cristãos
  judeus e os – 30
Cristianismo
  perseguições ao – 15
  ressurreição e eternidade do – 22
  vitória mundana do – 24
Cristo *ver* Jesus
Crítica
  sabor da – Na escola do Evangelho
Crucificação
  de Jesus – 13
Cruz
  do martírio – 22, 28, 30
  queixa e – 27
  tome a sua – 21
  Tomé e – 28

Índice geral

Cusa
  intendente de Ântipas – 15
Dalmanuta – 8
  habitantes de – 11
  pescador de – 8
  território de – 16
Debandada
  discípulos e – 27
Demônios
  expulsão dos – 7
Denários
  arrecadação de – 5
Desencarnação
  de Maria – 30
Desígnios
  de Deus – 25
Despedida
  amorosa de Jesus – 29
Deus
  amar a – 14
  amor de – 5
  comunhão com – 2
  criação de – 7
  desígnios de – 12, 25
  esquecimento do homem de – 22
  fidelidade a – 6, 7, 10, 15, 20
  governador do mundo – 11
  idade de – 9
  paternidade de – 12
  pertencimento a – 9
  sabedoria de – 4
  seio amoroso de – 4
  servir a – 6
  síntese da Verdade e do Amor – 22
  temor e amor a – 4
  vontade de – 3, 28
Diabo
  significado da palavra – 7
Dinheiro
  contribuição de – 5
  emprego do – 23

Discípulo
  da Boa-Nova – 6
  do Evangelho – 17, 25
  ilusão do – 24
  mau – 24
Discípulos
  afastamentos dos – 16
  colégio de – 5
  contendas entre os – 5
  convocação dos – 3, 4
  dos primeiros – 22
  dúvida e medo dos – 27
  entre discussão – 25
  mal-estar entre – 25
  melhores armas dos – 4
  perseguição aos – 5
  reunião diária dos – 5
  reunião dos doze – 21
  sinceros e bem-amados – 29
Discussão
  apóstolos e – 10
  inutilidade da – 10
  mensagem de Jesus e – 14
Dispersão
  dos discípulos – 26
Divergência
  esquecimento da – 9
  religiosa – 17
Divulgação
  do Evangelho – 30
Doutor da lei – 24
  verdade e – 14
Doutrina – 21
  edificação da * de Jesus – 21
Dúvida
  de Simão, o Zelote – 9
  de Simão Pedro – 12
  dos discípulos – 23
Edificação
  do Reino de Deus – 10
  evangélica – 7

Índice geral

Éfeso – 20
  igreja de – 30
  João em – 30
Egoísmo
  amor – 30
Eleazar – 2
Elias – 21
  crentes de – 4
Emoção
  de Jesus – 25
Endemoninhados – 7
Enfermidade
  fidelidade a Deus e – 6
Ensinamentos
  de Jesus – 8
  reservados ao futuro – 19
Entendimento
  humano sobre as revelações divinas – 14
Entes queridos
  perda de – 8
Escândalo
  instrumento de – 14
  necessidade do – 25
Escola
  melhor * para Deus – 2
Escravos
  punição a – 13
Escrituras
  profecia das – 25
  profeta das – 21
  cumprimento das – 21
Esdrelon
  norte do – 2
Esforço
  próprio e escola – 2
Espada
  ataque de Pedro com – 26
Esperança
  conservação da – 8
Espírito
  vida do – 9

Espíritos
  direção de Jesus e multidão de – 25
  do mal – 7
  esclarecidos – Na escola do Evangelho
  evangelizados – Na escola do Evangelho
Esposo
  Joana de Cusa e – 15
Esquecimento
  divergência e – 9
Esquilino
  cárceres do – 30
Essênios – 19
  João e estudos dos – 19
Estrela
  guia de reis e pastores – 1
Evangelho – 4, 8
  alegrias do – Na escola do Evangelho, 17
  aleijados e mendigos – 11
  amor do – 5
  apoio dos influentes e prestigiosos ao – 16
  bênçãos do – 5
  caminho de redenção – 13
  de Jesus – 1
  desafortunados e – 11
  destinatários do – 16
  discípulo do – 17
  discípulos do – 8
  escola do – Na escola do Evangelho
  esforço e – 27
  futuro do – 10, 29
  início e conclusão do – 1
  Jesus fala sobre o – 3
  luzes do – 29
  mensagem do – 1
  missão da mulher – 22
  na alma das criaturas – 8
  no Brasil – Na escola do Evangelho
  no espírito dos povos – 8
  para todos – 4
  posterioridade do – 27
  pregação do – 9
  promessas divinas do – 10

Índice geral

reforma íntima – 8
século do – 1
sincero discípulo do – 15
verdade imutável – 22
Evangelização
  quinhentos da Galileia e – 29
Evolução
  mulher e – 22
Excursão
  a pé – 19
Exemplificação – 2
  esquecimento da * de Jesus – 22
  hora decisiva de – 25
  Tomé e – 16
Existência material
  necessidades penosas da – 17
Experiência
  claridade da – 8
  dolorosa – 26
  velhice e – 9
Exploração
  Reino de Deus e – 23
Família
  cristã no mundo – 22
  do imperador Otávio – 1
  espiritual de Jesus – 19
  favores excepcionais a – 18
  humana – 9
  laços de – 12
  universal – 12
  Zebedeu – 4
Fardo
  leve – 30
Farisaísmo
  hipocrisias do – 12
Fariseus
  do templo – 14
Fé – 21
  amor e – 22
  fidelidade a Deus e – 28
  obstáculos e – 20

problema da – 28
significado da – 28
trabalho confiança e – 28
vacilações e – 16
vacilante de Tomé – 16
viva – 4
Fenômeno
  interesse pelo – 16
Fidelidade
  a Deus – 6, 7, 10, 15, 20
  a Deus e Leis da Natureza – 19
  ao reino – 6
  aos ensinos de Jesus – 15
  de Jesus a Deus – 27
  oração e* a Deus – 19
Figura
  de Jesus – 6
Filho
  de Deus vivo – 21
  mãe e – 30
Filipe – 5, 10
Firmeza
  generosa de Jesus – 23
Fortaleza
  permanente – 8
Fragilidade
  das promessas humanas – 6
  homem do mundo e – 26
  perversidade e – 26
Fraternidade
  ideias de – 13
  pura – 9
Função
  distinta de cada um – 18
Futuro
  aspirações e conquistas do – 25
  destino e – 20
  humano e Sermão do Monte –11
  paisagens do – 9
  projetos do – 9
  serviços grandiosos do – 21
  visão espiritual e – 26

Índice geral

Galileia – 2, 3, 9
  quinhentos da – 29
  fonte divina – 12
Galo
  canto do – 26
Gelboé
  eminências de – 2
Genesaré
  lago de – 5, 30
Glorificação
  de Deus – 27
Hanã – 3
  ironias de – 3
Herodes
  convencionalismo político – 2
  dominação de – 10
  funcionário de – 15
  funcionários de – 16
  queda próxima de – 4
Hinos
  de glorificação – 30
  impunidade e – 13
Historiadores – 1
  das origens do Cristianismo – 22
  do Império Romano – 1
Hora
  descuido da * extrema – 27
  derradeira – 27
  sexta – 24
Horácio – 1
  composição de – 1
Horto das Oliveiras
  oração do – 27
Humanidade
  bem real da – 4
  futura – 1
Humildade – 26
  de Jesus – 25
  de Jesus e incompreensão dos
  discípulos – 26
  exemplificação de – 16

padrão de – 9
sacrifício próprio – 26
Idade – 9
  de Deus – 9
Idealismo
  construtivo de Jesus – 10
Ideias novas
  estabelecimento definitivo das – 14
Idumeia – 20
Igualdade
  entre homem e mulher – 22
Iluminação
  definitiva da alma para Deus – 8
  interior – 21
Ilusão
  de Jesus – 24
  do discípulo – 24
Império Romano
  historiadores do – 1
  justiça do – 13
  Otávio e o – 1
Indiferença
  sono da – 27
Infância
  amor a Jesus desde a – 5
Inimigo
  perdão ao – 10
Iniquidade
  lobos da – 5
Inquietação
  amor e – 11
  de Pedro – 26
Inspiração
  da luz e das trevas – 21
  de Jesus – 6
Instruções
  de Jesus aos discípulos – 5
Inteligência
  proteção da – 1
Intenção
  excelente – 7

Índice geral

Irmãos
  de Jesus – 5
  inimizade entre – 5
Isabel
  Maria e – 2
Israel
  jugo tirânico sobre – 24
  Messias e – 24
  orientadores revolucionários de – 24
  pastor de – 21
  perdição de poderosos em – 2
Jacó
  fonte de – 17
Jeová – 4
Jeremias
  profeta – 4, 21
Jericó
  oásis de – 3
  paisagem deserta de – 19
  proximidades de – 19
  última ida de Jesus a – 23
Jerusalém – 2, 3, 9
  autoridades administrativas de – 24
  cercanias de – 19
  chegada de Jesus a – 24
  doutores de – 16
  entrada triunfal em – 12, 26
  Jesus em – 13
  leprosos de – 28
  libertada – 1
  paisagem de – 27
  ruas de – 22
  tempestade e – 30
  templo de – 12, 14
Jesus – 8
  autoridade de – 24
  chegada à Terra de – 1
  criança – 30
  Cristo, o Salvador – 21
  doutrina de – 14
  em casa de Zaqueu – 23
  ensinos de – 1
  esfera de * na Terra – 1
  João Batista e – 2, 3
  lição de – 11
  multidão e – 3
  olhar de – 4, 8
  presença de – 15
  rocha dos séculos – Na escola do Evangelho
  serenidade de – 26
  visita Maria – 30
Joana de Cusa – 15
  sacrifício de – 15
João
  Apóstolo – Na escola do Evangelho, 5, 9
  casa de – 30
  elucidações de – 12
  Evangelho de – 27
  evangelista – 1
  Maria e – 16, 30
  ressurreição de Jesus e – 16
  sacrifício pessoal de – 30
  velhice de – 9
João Batista – 17, 21
  Jesus e – 2
  nascido de mulher – 2
  pregações de – 4
  símbolo imortal do Cristianismo – 2
  temperamento de – 2
  verdade e – 2
João e Tiago
  olhar de Jesus e – 4
Jonas
  profeta – 4
Jordão – 30
José
  pai de Jesus – 2
  patriarca – 2
Jovem
  Apóstolo – 4
  velho e – 9
Júbilo
  dedicação e – 12

Evangelho do reino e – 5
serviço e – 9
Júbilo *ver também* Alegria
Judaísmo
 intransigência do – 20
Judas Iscariotes – 5, 24
 beijo de – 27
 dinheiro e – 5
 inquietação de – 24
 sentimento de – 27
 silêncio sombrio de – 25
 Tiago e – 24
 traição de – 22, 25
Judeia
 deserto triste da – 3
Judeus
 cristãos e os – 30
 reação de* rigoristas – 10
 samaritanos e – 17
Judiciário
 influência de Jesus no sistema – 13
Jugo
 suave – 30
Justiça Divina
 instituto da – 13
 mecanismos da – 14, 15
Justiça humana
 sistema da – 13
Juventude
 velhice e – 9
Khalfa
 golfo de – 2
Ladrão
 Jesus e – 28
Lago de Genesaré
 águas do – 8
Lar
 dificuldade no – 15
 escola e – 2
Lavrador
 rude – 19

Lealdade *ver* Fidelidade
Lei
 interpretar e sentir os textos da – 14
 dificuldade em esquecer totalmente – 22
Lei de talião – 14
Lei do amor – 14
Lei judaica
 princípios da – 10
Leis de Deus – 7
 ação das – 19
Leis, de Deus – 7
Lembrança
 de Jesus – 29
 de Maria – 30
Leprosos
 grupo de – 20
 Maria de Magdala e – 20
Letras
 valorização das – 1
Levi – 5
 aristocracia e discípulo – 11
 compreensão de – 11
 convocação de – 3
 futuro Apóstolo Mateus – 3
 grupo de infelizes e – 11
 oração dominical e anotação de – 18
 palavra rude de – 11
Levi *ver também* Mateus
Lição
 derradeira – 30
Lisandro, o aleijado – 11
Literatura
 com proveito – Na escola do Evangelho
Lucas
 narrativa de – 12
Luta – 7
 comum – 8
Madalena *ver* Maria de Magdala

Índice geral

Mãe
  coração de – 20
  de torturados – 30
  fé viva e – 22
  filho e – 30
  Santíssima – 30
Magdala
  habitantes de – 11
Magedo
  cume de – 2
Maior
  dentre os nascidos de mulher – 2
  de todos – 25
  menor de todos – 24, 25
  no Reino de Deus – 5
  perante Deus – 4
Mal
  bem e – 4, 7
  combate ao – 7, 14
  esquecimento do – 10
  extirpação do – 4
  luta contra o – 7
  luta perene contra o – 21
  queda e – 13
Maledicência
  vaidade e – 10
Mal-estar – 25
Mandamento – 26
  amor e – 26
  primeiro – 14
Manjedoura
  rústica – 1
Manobras
  políticas do mundo – 24
Marcos
  Apóstolo – Na escola do Evangelho
  narrativa de – 16
Maria
  desencarnação de – 30
  dúvidas de – 30
  é visitada por Jesus – 30
  Isabel e – 2

Joana de Cusa recorda-se de – 15
João e – 27, 30
  missão de – 30
  visita a Isabel – 2
Maria de Magdala
  desencarnação de – 20
  João, Maria e – 20
  maternidade e – 20
  pregações de Jesus e – 20
  recebida por Jesus – 20
  ressurreição de Jesus e – 16, 20, 22
  testemunho de – 20
  unção dos pés de Jesus por – 20
  visita Jesus – 20
Maria Madalena *ver* Maria de Magdala
Martírio
  cruz do – 28
  de Jesus – 16
Maternidade
  Maria de Magdala e – 20
  título de – 30
Mateus – 9
  narrativa de – 5
Mateus *ver também* Levi
Mecenas – 1
Meditação
  da samaritana – 17
  de Jesus – 10, 19, 25, 28
  de João – 13
  de Maria – 30
  de Maria de Magdala – 20
  de Nicodemos – 14
  de Simão Pedro – 21
  discípulos e – 10
  Monte das Oliveiras e - 27
Meditava – 25
Medo
  dedicação e – 27
Mendigos
  falsos – 23
Mensagem
  de Jesus e de Moisés – 10

Índice geral

de Jesus aos quinhentos da Galileia – 29
Meretrizes – 22
Mestre
    Jesus como – 25
Mestre *ver* Jesus
Mestre de Nazaré *ver* Jesus
Milagre
    mensagens do céu e – 16
Miséria
    dor e – 3
Missão
    de Jesus – 30
    de Maria – 30
    dos quinhentos da Galileia – 29
Missão, dos quinhentos da Galileia – 29
Mizhep
    ladrões do vale – 30
Moisés – 4
    Jesus e – 10
    lei de – 22
    mandamentos de – 12
    processo de redenção e lei de – 14
Monte das Oliveiras
    meditação no – 27
Monte Tabor
    aparição de Jesus no – 29
Morte
    do corpo – 8, 14
Mulher – 22
    adúltera – 13
    compadecida – 30
    de má vida – 22
    dos nascidos de – 2
    lapidação de – 22
    missão da – 22
    redenção e – 22
Multidão
    discípulos e – 11
    em alvoroço – 13
    Jesus e – 3

Mundo
    conquistas do – 24
    escola da regeneração – 13
    renovação do – 6
Mundo interior
    desencarnação e – 7
Naim
    banquete em – 20
Nascer de novo
    Reino do Céu e – 14
Natal
    noite de – 1
Natureza – 3
    exemplo da – 19
    fidelidade a Deus e leis da – 19
    força invisível – 22
    manifestações da – 19
    perfumes da – 1
    poesia da – 29
    vicissitudes da – 6
Nazaré – 2, 3
    discussões em – 10
    opositores em – 10
    viagem de Jesus a – 10
Nazarenos
    discípulos – 5
Necessário
    supérfluo e – 5
Necessidade
    próprias – 7
    sincera – 23
Negação
    de Pedro – 26
    Jesus prevê a * de Pedro – 26
Negócio
    melhor* do mundo – 8
Nicodemos
    Judas e – 14
    reencarnação e – 14
Noivado
    festa do – 1

Índice geral

Nova era
  início da – 1
Novo Testamento – 13, 25
Objetivo
  da vida – 7
  principal da vida – 7
Obsidiados – 7
Olhar
  de Jesus – 3, 4, 8, 16, 17, 19, 22, 23, 25, 26, 27, 28, 30
  de Jesus para o ladrão crucificado – 28
  de Maria – 30
  do Mestre – 22
  profundo de Jesus – 10
Olho por olho
  dente por dente – 14
Opinião
  do povo sobre Jesus – 17
  dos homens sobre Jesus – 21
Oportunidade – 8
Oração
  de Jesus – 27
  do Horto – 27
  eficácia da – 18
  fidelidade a Deus e – 19
  força da – 30
  louvor e súplica – 19
  na alegria e no infortúnio – 18
  significado da – 18, 19
  sono dos discípulos e – 27
  vigilância e – 27
  vontade divina e – 18
Oração dominical – 18
  anotação por Levi da – 18
  pronunciado por Jesus – 18
Otávio, Caio Júlio César – 1
  nobre – 1
  saúde do imperador – 1
Ovelhas
  lobos e – 5
Ovídio – 1

Pafos
  aflições de – 11
Pai *ver* Deus
Palavras
  do Senhor – 11
  rudes de Levi – 11
  últimas* de Jesus – 10
Palestina – 2
Pandatária
  ilha de – 1
Pão
  corpo de Jesus – 25
  símbolo do – 25
Parábola
  dos talentos e Zaqueu – 23
  necessidades das – 19
  singelas – 17
Paralítico
  cura de – 13
Páscoa
  comemorações da – 26
  festas da – 25
  Paixão e – 12
Patrimônio
  da vida – 7
Paz
  consciência pura e – 4
  Roma em – 1
  semeador de – 8
Pecado
  amor cobre a multidão dos – 14
  punição e – 13
Pecador
  pecado e – 13
  rigor para com o – 5
Pedra
  atire a primeira – 13
Pedro – 6
  casa de – 29
  dúvidas e aflições – 26
  e André – 9

215

Índice geral

negação de – 26
ressurreição de Jesus e – 16
Pedro *ver* Simão Pedro
Perdão
   aos adversários – 10
   Jesus e – 24
   necessidade do – 10
   quantidade de – 10
   queda e – 26
   vigilância e – 10
Pereu
   elevado cenário do – 2
Perseguição
   aos discípulos – 5
   fidelidade a Jesus e – 30
Perversão
   homem e mulher – 22
Pés
   Jesus lava os * dos discípulos – 25
   unção dos * de Jesus – 20
Pescadores
   cantigas rústicas dos – 29
   discípulos – 3
   ensinos de Jesus e – 1
   grupo alegre de – 3
   multidão de – 3
Piedade
   de Jesus – 25
   pelos Espíritos malfazejos – 7
Plano Espiritual
   claridades eternas do – 21
Poço
   à beira do caminho – 19
Poder
   no mundo – 4
   temporal e real – 24
Porta estreita
   amor e – 20
   da redenção – 20, 21
   renúncia – 25
Povo
   escuta Jesus – 3

incompreensão do – 17
opinião sobre Jesus – 17
Praça pública – 14
   lapidação na – 20
Prazer
   preço do – 6
   renúncia ao – 20
Prece *ver* Oração – 18
Preço
   vida e – 6
Precursor
   de Jesus – 2
Pregação
   da Boa-Nova – 22
   do Evangelho – 8
   início da – 3
   primeira * de Jesus – 3
Pregações
   do Tiberíades – 22
Prisão – 26
   de Jesus – 16, 26
Problemas materiais
   solução de – 18
Profecia
   cumprimento da – 21, 25
Profeta
   amor por * de Deus – 4
Profeta de Nazaré *ver* Jesus
Progresso
   humano e esquecimento de Deus – 22
Promessas
   falibilidade das – 24
   Judas e – 24
Proteção
   de Deus – 12
Providência Divina
   chamado da – 25
   desígnios da – 8
Prudência
   das serpentes – 5

Índice geral

Punição
  Deus e – 13
  pecado e – 13
Queixa
  Jesus e – 24
Quinhentos da Galileia – 29
  mensagem de Jesus aos – 29
Raciocínio
  sentimento e – 14
Rainha dos Anjos *ver* Maria
Rancor
  não conservação de – 5
Rebeldia – 8
Recomendação
  de Jesus aos discípulos – 16
Recomendações iniciais aos discípulos – 5
Reconhecimento
  de Jesus a Simão, o Zelote – 9
Recordação *ver* Lembrança
Redenção
  amor e – 16
  batalha pela – 6
  mulher e – 22
  trabalho da – 25
Reencarnação
  lei da – 14
  quinhentos da Galileia e – 29
Reforma Íntima
  Evangelho e – 8
  objetivo da vida – 7
Reino de Deus – 2, 3
  amor do – 12
  chegada do – 5
  conhecimento do – 14
  dentro de si mesmo – 7
  edificação divina da Luz – 7
  edificação do – 6
  fundação do – 3, 4
  luz gloriosa do – 25
  magnificências do – 29
  mundo e – 24

  na Terra – 3
  no coração – 7, 12
  no íntimo – 10
  prioridade – 12
  tentação e – 21
  trabalho pelo – 5
  trabalho pelo bem e – 4
  verdades do – 8, 9
Remorso
  de Judas – 24
  de Pedro – 26
  de Tomé – 16
Renan, Ernest – 22
Renascimento – 14
Renovação
  imediata do mundo – 16
Renúncia
  à vontade de Deus – 12
  amor e – 12, 20
  Maria de Magdala e – 20
  prazer transitório e – 20
  sacrifício e – 12
  seguir Jesus e – 21
  virtude da – 12
Réplica
  trabalho e – 10
Repouso
  momento de – 17
Reprovação
  de Simão Pedro – 26
República
  antiga – 1
Resgate
  mecanismo do – 14
Resignação
  trabalho e – 15
  vontade de Deus e – 4
Respeito
  mútuo entre homem e mulher – 22
Respiração
  oração e – 18

Ressurreição – 22
   de Jesus – 16
   Maria de Magdala e – 20
   Maria de Magdala e * de Jesus – 22
   realidade da – 22
Reunião
   diária dos discípulos – 5
Revide
   ataque e – 10
Revolução
   contra os romanos – 4
Rico
   entrada de um * no Reino do Céu – 23
Rio
   sagrado do Cristianismo – 2
Riqueza
   condenação da – 23
   emprego da – 23
   serviço a Deus e – 23
Roma – 3
Roma
   glória intelectual de – 1
   paz em – 1
Romanos
   judeus desconhecidos e – 29
Rosa Mística de Nazaré *ver* Maria
Sábado
   homem e – 13
Sacrifício
   amor pelo – 20
   de Jesus – 22
   de nós mesmos – 16
   máximo de Jesus – 27
   próprio – 25, 27
   próprio e humildade – 26
   sinal do – 28
Safed
   cumes de – 2
Salomé
   esposa de Zebedeu – 4
   futilidade do mundo e – 2

procura Jesus – 4
Salústio – 1
Salvação
   de Zaqueu – 23
   perseverança e – 5
Samaria – 2
Samaria
   Jesus na – 17
   montanhas da – 2
Samaritana
   Jesus e a – 17
Samaritanos
   discussões estéreis dos – 5
   discutidores – 17
Sangue
   de Jesus – 25
Santuário
   intimo – 19
Satanás
   servo de – 10
Saudade
   de Jesus – 29
Saúde
   comprometimento da – 6
Sebaste – 24
Semeador
   do Evangelho – 27
Sentimento
   boa vontade e – 3
   evolução da mulher e – 22
   tesouro do – 22
Separação
   instante de – 12
Serenidade
   de espírito – 4
   de Jesus – 28
   energia e – 10
   enérgica – 21
Sermão do Monte
   futuro humano e – 11

Índice geral

Serviço
  a dois senhores – 6
  divino e desagrados – 10
  do Evangelho – 25
Servidor
  de Deus – 18
Servir
  prazer de – 9
Servo
  amigo e – 12
  bom e fiel – 23
  de Deus – 25
Si mesmo
  Reino de Deus em – 7
Sídon
  doentes de – 28
Silêncio
  bens do – 8
  de Jesus – 4,16
  divino – 29
  do caminho – 29
  Jesus em – 8
  religioso – 27
  suave – 17
Simão, o Zelote – 5, 9
  dúvidas de – 9
  humilhação de – 9
  Tiago e – 9
Simão e André, filhos de Jonas – 3
Simão Pedro – 5, 8, 9, 10
  casa de – 3, 4, 5
  cura da sogra de – 18
  descanso de – 22
  diz o que Jesus é – 21
  dúvidas de – 12
  espírito do mal e – 21
  inspiração da luz e das trevas – 21
  negação de – 26
  residência de – 20
  ressurreição de Jesus e – 16
Símbolo
  do pão e do vinho – 25

Simpatia
  Zaqueu e * de Jesus – 23
Simples
  tesouros para os – 5
Simplicidade
  das pombas – 5
Sinagoga – 14
Sinal
  da missão divina de Jesus – 16
  de Deus nos céus – 16
  do Céu – 14, 16, 17
Sinceridade
  ingênua de Simão Pedro – 18
Sinédrio
  autoridades do – 24
  Judas no – 24
Sofrimento
  escândalo e – 14
Solidão
  dos homens – 12
Sombra
  dias de – 5
  entidades da – 7
Sono
  da indiferença – 27
  discípulos adormecem durante oração – 27
Sorriso
  afeição de Jesus e – 11
  apreensões e – 5
  de Jesus – 3, 16, 20, 21, 22, 23, 26, 27, 29
  tranquilo – 10
Sorte
  diferenças na – 18
Sublime Emissário ver Jesus
Superioridade
  espiritual – 25
  posição de – 24
Tabor
  figura esbelta do – 2

Índice geral

Tadeu – 5, 6, 7
  jovem – 9
  obsidiados e – 7
Tanque de Betsaida
  águas do – 13
Temor
  a Deus – 4
Templo
  autoridades do – 2
  da fé viva – 15
  da Terra – 15
  de Jerusalém – 2
  de pedra – 11
  exibição no – 25
  imperfeições terrestres e – 11
Tempo
  caminho infinito do – 9
Tentação
  posses materiais – 5
  Reino de Deus e – 21
Terra
  campo de batalha – 4
  Céu e – 7
  grande hospital – 13
Testamento
  de Jesus – 1, 21
Testemunho
  causa e – 5
  de fé – 25
  de Jesus – 5, 12
  de Maria de Magdala – 20
  derradeiro – 26
  fuga do – 28
  individual no – 27
  Joana de Cusa e – 15
  maior – 27
  sacrifício e – 26
Tiago – 5, 6, 9
  Simão, o Zelote e – 9
Tiago e João – 7
  convocação de – 4
  temperamento de – 4

Tiago, filho de Alfeu – 5, 6
Tiago, filho de Cleofas – 9
Tiberíades – 4, 8, 17
Tiberíades
  águas alegres do – 22
  dias radiosos do – 28
  forma de alaúde – 30
  margens do – 23
Tito Lívio – 1
Tomé – 5
  cruz de Jesus e – 28
  expansão da influência de Jesus e – 16
  fé e – 28
  martírio de Jesus e – 16
  remorso de – 16
Toque
  em Jesus – 22
Torre Antônia – 3
Trabalho
  árduo – 4
  em conjunto - 25
  exemplificação no – 16
  honesto – 18
  melhor réplica – 10
  último instante de – 25
Traição
  Jesus prevê sua – 25
Traidor – 25
  discípulos e – 25
Transfiguração
  instante da – 2
Treva – 7
Tristeza
  Bartolomeu e – 8
  perda de entes queridos e – 8
  razões de – 8
Triunfadores
  do mundo – 11
Triunfo *ver* Vitória
Triunvirato
  instituição do – 1

Índice geral

Túmulo
  visita ao * de Jesus – 22
Turba
  compacta – 17
  imensa – 11
União
  com Deus – 25
Vaidade – 8
  ambição e – 24
  personalidade e – 10
Vale dos leprosos
  Madalena – 20
Velhice
  de Maria – 30
  experiência e – 9
  juventude e – 9
Velho
  jovem e – 9
Vencedor
  do mundo – 11
Vencidos
  alma branda e humilde dos – 11
Verdade – 8
  amor e – 3
  causa do bem e da – 4
  compreensão gradativa da – 6
  conversão à – 7
  João Batista e – 2
  revelação da – 5
Vergílio – 1
Via Ápia – 13
Viagem
  programa de – 19
Vibração
  de amor e de beleza – 1
Vida
  etapas da – 9
  fins sagrados da – 9
  objetivo principal da – 7
  terrestre – 8
Vida nova
  convite de Jesus à – 20
Vida particular
  Jesus revela* da samaritana – 17
Videira
  do amor e da vida – 15
Vigilância
  necessidade de – 21
  oração e – 27
Vinho, água e – 12
Vinho, de Caná – 12
Vinho, símbolo do – 25
Virtude
  no mundo – 20
Visão espiritual
  futuro e – 26
Vitória
  com Deus – 25
  deusa – 1
  final – 4
Vontade
  de Deus – 28
  divina e oração – 18
Zaqueu
  Jesus na casa de – 23
  publicano – 23
Zebedeu – 4
  emotividade de – 4
  família – 3
  filhos de – 9
  procura Jesus – 4

O QUE É ESPIRITISMO?

O Espiritismo é um conjunto de princípios e leis reveladas por Espíritos Superiores ao educador francês Allan Kardec, que compilou o material em cinco obras que ficariam conhecidas posteriormente como a Codificação: *O livro dos espíritos, O livro dos médiuns, O evangelho segundo o espiritismo, O céu e o inferno* e *A gênese*.

Como uma nova ciência, o Espiritismo veio apresentar à Humanidade, com provas indiscutíveis, a existência e a natureza do Mundo Espiritual, além de suas relações com o mundo físico. A partir dessas evidências, o Mundo Espiritual deixa de ser algo sobrenatural e passa a ser considerado como inesgotável força da Natureza, fonte viva de inúmeros fenômenos até hoje incompreendidos e, por esse motivo, são tidos como fantasiosos e extraordinários.

Jesus Cristo ressaltou a relação entre homem e Espírito por várias vezes durante sua jornada na Terra, e talvez alguns de seus ensinamentos pareçam incompreensíveis ou sejam erroneamente interpretados por não se perceber essa associação. O Espiritismo surge então como uma chave, que esclarece e explica as palavras do Mestre.

A Doutrina Espírita revela novos e profundos conceitos sobre Deus, o Universo, a Humanidade, os Espíritos e as leis que regem a vida. Ela merece ser estudada, analisada e praticada todos os dias de nossa existência, pois o seu valioso conteúdo servirá de grande impulso à nossa evolução.

O LIVRO ESPÍRITA

Cada livro edificante é porta libertadora.

O livro espírita, entretanto, emancipa a alma nos fundamentos da vida.

O livro científico livra da incultura; o livro espírita livra da crueldade, para que os louros intelectuais não se desregrem na delinquência.

O livro filosófico livra do preconceito; o livro espírita livra da divagação delirante, a fim de que a elucidação não se converta em palavras inúteis.

O livro piedoso livra do desespero; o livro espírita livra da superstição, para que a fé não se abastarde em fanatismo.

O livro jurídico livra da injustiça; o livro espírita livra da parcialidade, a fim de que o direito não se faça instrumento da opressão.

O livro técnico livra da insipiência; o livro espírita livra da vaidade, para que a especialização não seja manejada em prejuízo dos outros.

O livro de agricultura livra do primitivismo; o livro espírita livra da ambição desvairada, a fim de que o trabalho da gleba não se envileça.

O livro de regras sociais livra da rudeza de trato; o livro espírita livra da irresponsabilidade que, muitas vezes, transfigura o lar em atormentado reduto de sofrimento.

O livro de consolo livra da aflição; o livro espírita livra do êxtase inerte, para que o reconforto não se acomode em preguiça.

O livro de informações livra do atraso; o livro espírita livra do tempo perdido, a fim de que a hora vazia não nos arraste à queda em dívidas escabrosas.

Amparemos o livro respeitável, que é luz de hoje; no entanto, auxiliemos e divulguemos, quanto nos seja possível, o livro espírita, que é luz de hoje, amanhã e sempre.

O livro nobre livra da ignorância, mas o livro espírita livra da ignorância e livra do mal.

Emmanuel[*]

---

[*] Página recebida pelo médium Francisco Cândido Xavier, em reunião pública da Comunhão Espírita Cristã, na noite de 25/2/1963, em Uberaba (MG), e transcrita em *Reformador*, abr. 1963, p. 9.

FEB editora
Livro espírita para um novo mundo
www.febeditora.com.br
@febeditoraoficial
@febeditora

Conselho Editorial:
Carlos Roberto Campetti
Cirne Ferreira de Araújo
Evandro Noleto Bezerra
Geraldo Campetti Sobrinho – Coord. Editorial
Jorge Godinho Barreto Nery – Presidente
Maria de Lourdes Pereira de Oliveira
Miriam Lúcia Herrera Masotti Dusi

Produção Editorial:
Elizabete de Jesus Moreira

Revisão:
Davi Miranda
Neryanne Paiva
Paula Lopes

Capa e Projeto Gráfico:
Ingrid Saori Furuta

Diagramação:
Rones José Silvano de Lima – instagram.com/bookebooks_designer

Foto de Capa:
ArtyFree/ istockphoto.com

Normalização Técnica:
Biblioteca de Obras Raras e Documentos Patrimoniais do Livro

Esta edição foi impressa pela Coronário Editora Gráfica Ltda., Brasília, DF, com tiragem de 7 mil exemplares, todos em formato fechado de 140x210 mm e com mancha de 104x168 mm. Os papéis utilizados foram o Off white bulk 58 g/m² para o miolo e o Cartão 250 g/m² para a capa. O texto principal foi composto em fonte Adobe Garamond Pro 12/14,4 e os títulos em Adobe Garamond Pro 28/26. Impresso no Brasil. *Presita en Brazilo.*